D1229478

Un fuego
que enciende otros fuegos

Páginas escogidas de
San Alberto Hurtado

Centro de Estudios San Alberto Hurtado
Pontificia Universidad Católica de Chile

Un fuego que enciende otros fuegos
Páginas escogidas de San Alberto Hurtado

Edición preparada por Samuel Fernández E., pbro., con la colaboración de Mariana Clavero, Sandra Arenas, Inés Contreras, Sergio Henríquez, Francisco López, Sofía Pollak, Claudio Rivera, Bárbara Symmes, Gabriel Ugarte y Beatriz Villavicencio.

Centro de Estudios San Alberto Hurtado
de la Pontificia Universidad Católica de Chile

Nihil obstat, 288, Arzobispado de Santiago, 2004.
 - I.S.B.N. 956-299-411-2

1ª edición: noviembre de 2004, 290.000 ejemplares
2ª edición: diciembre de 2004, 12.000 ejemplares
3ª edición: enero de 2005, 24.000 ejemplares
4ª edición: marzo de 2005, 15.000 ejemplares
5ª edición: mayo de 2005, 10.000 ejemplares
6ª edición: julio de 2005, 20.000 ejemplares
7ª edición: septiembre de 2005, 25.000 ejemplares
8ª edición: octubre de 2005, Colombia
9ª edición: octubre de 2005, Argentina (1ª)
10ª edición: octubre de 2005, Francia
11ª edición: octubre de 2005, Brasil
12ª edición: noviembre de 2005, 10.000 ejemplares
13ª edición: octubre de 2006, 10.000 ejemplares
14ª edición: noviembre de 2006, Portugal
15ª edición: julio de 2008, 10.000 ejemplares
16ª edición: marzo de 2009, 10.000 ejemplares
17ª edición: agosto de 2009, México
18ª edición: agosto de 2009, Argentina (2ª)
19ª edición: diciembre de 2009, 30.000 ejemplares

Diseño e ilustración: Francisca Morales A.

Impreso en Worldcolor

Cuando comencé mi formación sacerdotal le pregunté al Padre Hurtado en qué área de estudio me recomendaba especializarme, él me respondió: "Especialízate en Jesucristo". Eso respondía a lo que él vivía (P. José Correa, s.j.).

Presentación

"Dios es fuego devorador", dice la Biblia (*Dt* 4,24); y Jesús afirma: *"He venido a traer fuego sobre la tierra, y ¡cuánto desearía que ya estuviera ardiendo!"* (*Lc* 12,49); y en Pentecostés los apóstoles recibieron *"lenguas como de fuego"* quedando llenos del Espíritu Santo (*Hech* 2,3-4). Esta cualidad de Dios, revelada en Cristo y que permanece en su Iglesia por obra del Espíritu, se hizo visible de modo particular en el Padre Alberto Hurtado s.j.

Quienes lo conocieron recurren frecuentemente a la imagen del fuego para describir su vida: *"Su fuego era capaz de encender otros fuegos"*, afirmó Mons. Francisco Valdés. El P. Damián Symon –su director espiritual– dijo que cuando Alberto tenía veinte años, su corazón era como *"un caldero en ebullición"*; un teólogo jesuita, compañero suyo en Lovaina, escribió después de su muerte: *"Era una llama: él ha sido literalmente devorado"*. Y en la oración fúnebre, Mons. Larraín recordó que las vocaciones que nacían *"al contacto del alma inflamada de un apóstol, eran la realización, en el tiempo, de la eterna palabra de Jesús: 'He venido a traer fuego sobre la tierra, y ¡cuánto desearía que ya estuviera ardiendo!'"*. Y así se podrían ofrecer muchos testimonios.

El P. Hurtado reunió *"bajo la mirada del Padre Dios y protegidos por el manto maternal de María, una juventud ardiente, caldeada de entusiasmo, portadora de antorchas brillantes, y con el alma llena de fuego y de amor"*, y fue capaz de esto, precisamente por que en él ardía el fuego del amor a Cristo, y ese fuego, por ser un *fuego devorador*, tiende a propagarse. Su invitación no era a reservarse y a protegerse, sino a darse y a consumirse: *"Dios nos ha dado la gracia para que seamos santos, y el ideal cristiano es consumirse en llama, fuego y acción"*, y por eso exhortaba a los jóvenes a *"consumirse por Cristo, como esas antorchas que se consumen en vuestras manos"*.

El suyo no era *"un fuego artificial"*, que sólo busca brillar, pero es pasajero; el fuego del P. Hurtado era auténtico, él mismo nos indica su fuente: *"Tomo el Evangelio, voy a San Pablo, y allí encuentro un cristianismo todo fuego, todo vida, conquistador; un cristianismo verdadero que toma a todo el hombre, rectifica toda la vida, abarca toda actividad. Es como un río de lava ardiendo, incandescente, que sale del fondo mismo de la religión"*. La gran fecundidad apostólica del Padre Hurtado no es sólo fruto de sus notables cualidades humanas; ella es fruto de su unión con Cristo que, como el fuego, se apoderó de su vida hasta tender a decir con San Pablo: *"No vivo yo, es Cristo que vive en mí"* (Gál 2,20).

El presente libro no pretende describir la obra y las acciones del Padre Hurtado, sino adentrarse en su corazón. Por eso se ofrecen textos escritos por él mismo, que permiten conocer *"desde dentro"* el corazón de este apóstol.

Agradecimientos

Quisiéramos agradecer a la Pontificia Universidad Católica de Chile, a las Ediciones Universidad Católica de Chile y a la DIPUC por su importante colaboración en esta iniciativa editorial. Asimismo, agradecer al Padre Fernando Karadima F., que conoció muy de cerca al Padre Hurtado, y no ha dejado de difundir con profundidad el fundamento espiritual de este apóstol de Cristo.

Junto con el equipo damos gracias a la Compañía de Jesús por todas las facilidades que nos han dado para esta investigación. Un especial agradecimiento a nuestras familias y a tantos otros que, de diversos modos, han colaborado con esta publicación. Sólo el Señor y su Madre sabrán recompensarlos debidamente.

Vida del Padre Hurtado

Nacimiento e infancia

Alberto Hurtado Cruchaga nace en Viña del Mar (Chile), el 22 de enero de 1901. Pasa su niñez en el Fundo Mina del Agua, cerca de Casablanca, con sus padres, Alberto Hurtado Larraín y Ana Cruchaga Tocornal, y su único hermano, Miguel, dos años menor que él. En 1905, fallece su padre, lo que acarreará serias dificultades económicas y la posterior venta de las tierras, que eran el patrimonio familiar. Por ello se trasladan a Santiago y comienzan a vivir en casas de distintos parientes, sin tener una casa propia. En 1909 ingresa al Colegio San Ignacio. Ese mismo año hace su primera comunión, y al año siguiente es confirmado. Las dificultades económicas no impiden que, junto a su madre, trabaje por los más pobres, en el Patronato San Antonio. Termina el colegio en 1917.

"No podía ver el dolor sin quererlo remediar"

En marzo de 1918 comienza sus estudios de Derecho en la Universidad Católica de Chile. Se involucra intensamente en la vida universitaria, participando en el Centro de Estudiantes de Derecho. Continúa con su gran preocupación por los más pobres, tanto por el apostolado que realiza en el Patronato de Andacollo, como por la actividad política que desarrolla con gran preocupación social. Sabe unir su propia carrera a su inquietud por servir a los demás, organizando, junto con algunos estudiantes de Derecho, un consultorio jurídico para obreros, y dedicando sus tesis de grado a buscar soluciones jurídicas a algunos graves problemas sociales.

Augusto Salinas, uno de sus compañeros de curso y futuro obispo auxiliar de Santiago, declara: *"Su vida de unión con Jesucristo le arrastraba hacia los que sufren"*. Durante la crisis laboral del salitre, organiza a sus compañeros de curso para servir a los obreros que habían venido a Santiago y que estaban instalados en albergues muy precarios. Además, participa en el *Círculo de Estudios León*

XIII, donde leían las encíclicas sociales con el P. Jorge Fernández Pradel s.j., y es profesor voluntario del Instituto Nocturno San Ignacio, organismo para la formación de los obreros. Entre agosto y noviembre de 1920, hace el Servicio Militar en el regimiento Yungay.

El Padre Damián Symon, ss.cc., su director espiritual por estos años, lo describe en estos términos: *"Le conocí cuando ya era universitario. Las virtudes que fueron aflorando y solidificándose fueron deslumbradoras, sobre todo la que se refería a la caridad, pues apareció un celo incontenible, que había de moderar repetidamente para que no llegara a la exageración. No podía ver el dolor sin quererlo remediar, ni una necesidad cualquiera sin poner estudio para solucionarla. Vivía en un acto de amor a Dios que se traducía constantemente en algún acto de amor al prójimo; su celo casi desbordado, no era sino su amor que se ponía en marcha. Tenía un corazón como un caldero en ebullición que necesita vía de escape"*.

Discernimiento vocacional

Las cartas a su amigo Manuel Larraín, futuro obispo de Talca, son testigo de una profunda búsqueda de la voluntad de Dios. Ambos jóvenes enfrentan la misma aventura con gran seriedad, preguntándose: *¿Qué quiere Dios de mí?* Alberto tiene claro que Dios le asigna un puesto a cada hombre, y que, en aquel puesto, Dios le dará las gracias abundantes; por ello se ofrece al Señor: *"Yo te hago la entrega de todo lo que soy y poseo, yo deseo dártelo todo, servirte donde no haya restricción alguna en mi don total"*. Pero saber dónde servir al Señor no era tarea fácil. Alberto se siente llamado al sacerdocio, pero también al matrimonio y a realizar un apostolado como laico, y además pensó en ser monje cartujo (el Padre Vives lo disuadió). En 1923 Alberto le escribe a su amigo Manuel: *"Reza, pero con toda el alma, para que podamos arreglar nuestras cosas y los dos cumplamos este año la voluntad de Dios"*. Para Alberto, cumplir la voluntad de Dios era entrar al noviciado jesuita, y para Manuel, entrar al Seminario de Santiago.

Alberto no podía entrar a los jesuitas porque debía sostener económicamente a su familia. El Padre Damián Symon relata cómo vino la solución: *"Durante todo el Mes del Sagrado Corazón de Jesús del año 1923, a las 10 de la noche, le vi tenderse en el suelo, frente al altar del Santísimo Sacramento, y pasar una hora entera en esa postura, implorando, en la oración más fervorosa, que el Señor le solucionara sus problemas económicos para poder consagrarse totalmente a Dios"*. La solución llegó de modo providencial, precisamente el día del Sagrado Corazón.

El 7 de agosto de 1923, después de haber presentado su memoria de Licenciatura *El trabajo a domicilio,* rinde su examen final, que aprueba con nota sobresaliente por unanimidad, y, con ello, recibe su título de Abogado.

Justo antes de ingresar al Noviciado jesuita, la Universidad Católica despide a su ex-alumno. Así lo testifica la *Revista Universitaria,* un documento de inestimable valor, por ser contemporáneo a los hechos: *"Después de haber cursado con el más hermoso éxito los cinco años de la Facultad de Leyes, y de haber obtenido brillantemente su título de abogado con nota óptima de la Corte Suprema y distinción unánime de la Universidad Católica, Alberto Hurtado, nuestro amigo, el amigo de todos los jóvenes católicos, el amigo de pobres y ricos, partió al noviciado de la Compañía de Jesús. Su inmenso amor a Dios fue premiado por la Divina Providencia que le concedió el mérito de abandonarlo todo cuando todo podía tenerlo. La Universidad Católica sintió la necesidad de despedir con todo su cariño al ejemplar ex–alumno y celebró en las vísperas de su partida una Misa que ofició el señor Rector y a la cual concurrió un numeroso grupo de sus amigos"* (Revista Universitaria, 1923). Alberto ni siquiera espera recibir el diploma de Abogado y parte a Chillán para iniciar su Noviciado el día 15 de agosto, lo que muestra su cercanía a la Santísima Virgen, que se mantendrá a lo largo de toda su vida.

Estudiante jesuita

La alegría de Alberto por haber entrado al Noviciado queda bien expresada en una carta a su inseparable amigo: *"Querido Manuel: Por fin me tienes de jesuita, feliz y contento como no se puede ser más en esta tierra: reboso de alegría y no me canso de dar gracias a Nuestro Señor porque me ha traído a este verdadero paraíso, donde uno puede dedicarse a Él las 24 horas del día. Tú puedes comprender mi estado de ánimo en estos días; con decirte que casi he llorado de gozo".*

La primera parte de su formación se desarrolla en Chillán, entre Retiros Espirituales y labores humildes. Posteriormente se traslada a Córdoba, Argentina, para terminar allí su período de noviciado y consagrarse al Señor con sus votos religiosos el 15 de agosto de 1925. Según se recuerda, *"pedía los trabajos humildes de la cocina"*. Los escritos de esta época reflejan un sincero esfuerzo por avanzar en el camino de la santidad: toma muy en serio su formación, la oración y los estudios; y se empeña en pequeñas virtudes como no hablar mal de los demás, ser amable, o destacar las virtudes ajenas. Entre sus apuntes personales, escribe: *"No criticar a mis hermanos, velar sus defectos, hablar de sus cualidades... Hablar siempre bien de los Superiores y de sus disposiciones. Hablar siempre bien de mis hermanos, disculpar sus defectos, poner de relieve sus cualidades"*.

Entre los años 1927 y 1931, estudia filosofía y comienza con la teología en Sarriá, España. Un testimonio de aquellos años lo describe, *"tan abnegado, tan caritativo, tan trabajador, tan celoso de la gloria de Dios y del bien de sus prójimos y, como fundamento de todo, tan sobrenatural, unido con Dios y piadoso, principalmente en su devoción a la Santísima Virgen"*. Por la situación política de España, los jesuitas sacan del país a sus estudiantes extranjeros. Y Alberto debe continuar la teología en la Universidad Católica de Lovaina, una de las más prestigiosas del mundo.

Un compañero de formación recuerda: *"A uno le agradaba estar con él, pues uno se sentía cómodo. Oía a sus compañeros con mucha atención. Vivía siempre en un ambiente de fe. Era muy mortificado, se daba de lleno al estudio, su caridad era grande; siempre servicial, con una sonrisa acogedora"*. Otro asegura: *"Poseía un gran don de simpatía que hacía tan agradable el trato con él, que era sencillo y modesto"*. Un hermoso testimonio retrata su carácter: *"Su pronta sonrisa y su mirada indagadora, en un modo indefinible, parecía urgirlo a uno a cosas más altas... Su sonrisa daba la impresión de que estaba mirando al interior de mi alma y estaba ansioso por verme hacer mayores y mejores cosas por el Señor".*

Un jesuita belga, nos transmite un elocuente testimonio: *"El P. Hurtado tenía el temperamento de un mártir; tengo la íntima convicción de que él se ofreció como víctima por la salvación de su pueblo, y especialmente por el mundo obrero de América. Conocí al Padre Hurtado en teología, en Lovaina. Sobre todo impresionaba y edificaba su caridad, tan ardiente y atenta, resplandeciente de alegría y entusiasmo. Ya entonces se 'consumía' de ardor y de celo. Siempre listo a alegrar a los demás. ¡Cuánto amaba a su país y a su pueblo! Ese amor le hacía sufrir profundamente. Volví a ver al querido Padre en el Congreso de Versalles en 1947. Era la misma llama: el fuego interior lo abrasaba de amor a Cristo y a su pueblo. Mi querido amigo era un alma de una calidad 'muy rara', y para decirlo todo: un santo; un mártir del amor de Cristo y de las almas".*

Sacerdote de Cristo

El 24 de agosto de 1933, es ordenado sacerdote. En su primera misa lo acompaña su inseparable amigo y futuro provincial, el Padre Álvaro Lavín. Una vez ordenado sacerdote, le escribe a un amigo: *"¡Ya me tienes sacerdote del Señor! Bien comprenderás mi felicidad inmensa. Con toda sinceridad puedo decirte que soy plenamente feliz. Ahora ya no deseo más que ejercer mi ministerio con la mayor plenitud posible de vida interior y de actividad exterior".*

Durante estos años, presta un gran servicio en favor de la fundación de la Facultad de Teología de la Universidad Católica de Chile. El agotador trabajo que realiza muestra el gran aprecio que Alberto Hurtado profesa por el estudio serio de la teología. En diciembre de 1934 Monseñor Casanueva le expresa su agradecimiento: *"La inmensa gratitud que te debo por tu empeño tan abnegado, tan inteligente, tan atinado y tan cariñoso, que jamás podré pagarte y sólo Dios podrá recompensarte debidamente; después de Dios y de la persona que ha hecho esta fundación, a nadie le deberá esta Facultad de Teología tanto como a ti".*

El 24 mayo de 1934, aprueba el examen de grado de Teología. El presidente de la comisión era el P. Janssens, futuro superior general de la Compañía de Jesús, quien comentó: *"En mis largos años de Superior no he visto pasar junto a mí un alma de mayor irradiación apostólica que la del Padre Hurtado"*. Entre los años 1934 y 1935 finaliza su formación y el 10 de octubre rinde su examen para el Doctorado en Ciencias Pedagógicas en la Universidad de Lovaina, habiendo presentado la tesis *El sistema pedagógico de Dewey ante las exigencias de la doctrina católica*. Es aprobado con *"máxima distinción"*.

Antes de regresar, hace un viaje por diferentes países europeos, con el fin de estudiar varias instituciones educacionales. Se piensa en él para profesor de Ética y Sociología en Argentina, pero dadas las necesidades, se le destina a Chile. El 22 de enero de 1936, justo al cumplir 35 años, se embarca en Hamburgo a las 10 a.m., de regreso a su patria.

Apóstol entre los jóvenes

De vuelta en Santiago, en febrero de 1936, comienza su apostolado con los jóvenes, de modo especial, en el Colegio San Ignacio y en la Universidad Católica. Pero la tarea educativa del P. Hurtado no se limita sólo a las clases; el carisma de este apóstol atrae a los jóvenes más allá de los compromisos académicos. Promueve el servicio a los más pobres, porque *"ser católicos equivale a ser sociales"*. Al mismo tiempo, da gran importancia a los retiros espirituales. Varias veces durante el año impulsará a diversos grupos, de jóvenes y adultos, a un encuentro profundo con el Señor y a buscar con seriedad la voluntad de Dios. En uno de estos retiros afirma: *"Todo cristiano debe aspirar siempre a esto: a hacer lo que hace, como Cristo lo haría en su lugar..."*.

Su amor al Sacerdocio y a la Eucaristía queda retratado en un hermoso testimonio: en el año 1937, en San José de la Mariquina, un misionero capuchino lo observa celebrar la Misa, y le llama tan poderosamente la atención *"que decía no haber visto nunca una celebración de la misa tan edificante, y que al ser así los sacerdotes chilenos, deberían ser todos santos"*.

A inicios de 1941, el Padre Hurtado es nombrado Asesor de la Acción Católica de jóvenes de Santiago. La Acción Católica había sido impulsada en 1923 por el Papa Pío XI, y significó un decidido impulso a la participación activa de los laicos en la Iglesia. Trabaja también con alumnos de liceos fiscales de Santiago.

El mismo año 1941 publica un libro que marcó una época: *¿Es Chile un país católico?*, que con gran agudeza, optimismo y valentía abre los ojos de muchos católicos acerca de la verdadera situación del catolicismo en Chile, señalando el grave problema de la escasez de vocaciones sacerdotales. Es un tiempo de profundas transformaciones, el mundo es disputado por ideologías opuestas y totalitarias, mientras Europa se desangra en la Segunda Guerra Mundial. El P. Hurtado se estremece ante los horrores de la guerra, pero además comienza a pensar cómo reconstruir, con Cristo, el mundo de la postguerra.

Su fecundidad pastoral lo lleva, a los pocos meses, a ser nombrado Asesor Nacional de la Juventud de la Acción Católica. Recorre el país organizando los grupos y predicando retiros. Es el tiempo de las grandes procesiones de antorchas a los pies de la imagen de María Santísima, en el Cerro San Cristóbal, con miles de jóvenes. En este contexto apela a la generosidad de los jóvenes: *"Si Cristo descendiese esta noche caldeada de emoción les repetiría, mirando la ciudad oscura: 'Me compadezco de ella', y volviéndose a ustedes les diría con ternura infinita: 'Ustedes son la luz del mundo... Ustedes son los que deben alumbrar estas tinieblas. ¿Quieren colaborar conmigo? ¿Quieren ser mis apóstoles?'"*.

Su labor no es comprendida, y comienza a sentir que no cuenta con la confianza de Monseñor Salinas, su amigo de la Universidad, y Asesor General de la Acción Católica. Debido a este clima de discrepancias y tensiones, en abril de 1942, presenta la renuncia al cargo de Asesor Nacional de la Acción Católica, renuncia que es rechazada por los obispos chilenos.

El trabajo continúa: en febrero de 1943, zarpa hacia Magallanes para formar la Acción Católica en Punta Arenas, visitando además Puerto Natales y Porvenir. La fecundidad de esta visita permitirá la celebración posterior de un Congreso Eucarístico y un cambio de ambiente en relación con la Iglesia.

Posteriormente, se seguirán suscitando incomprensiones y divergencias con Monseñor Salinas. Las críticas que se repiten son falta de espíritu jerárquico, ideas avanzadas en el campo social y una cierta independencia respecto del resto de las ramas de la Acción Católica. Ello motiva, finalmente, a que renuncie indeclinablemente a su cargo, en noviembre de 1944. La situación debió ser muy dura para él, dado que tenía muchas esperanzas puestas en la Juventud Católica. Por otra parte, la oposición no venía *'de la jerarquía'*, pues contaba con el apoyo y la admiración de numerosos obispos, entre ellos, el Cardenal Caro; la oposición venía de su propio amigo Augusto Salinas. Esta amarga situación, heroicamente aceptada, fue la ocasión de una gran maduración espiritual para el P. Hurtado.

El Hogar de Cristo

El mes anterior a su renuncia, tal como él mismo lo relata, una noche fría y lluviosa, se le acerca *"un pobre hombre con una amigdalitis aguda, tiritando, en mangas de camisa, que no tenía dónde guarecerse"*. Su miseria lo estremece. Pocos días después, el 16 de octubre, dando un retiro para señoras, en la Casa del Apostolado Popular, habla, sin haberlo previsto, sobre la miseria que hay en Santiago y la necesidad de la caridad: *"Cristo vaga por nuestras calles en la persona de tantos pobres, enfermos, desalojados de su mísero conventillo. Cristo, acurrucado bajo los puentes, en la persona de tantos niños que no tienen a quién llamar 'padre', que carecen hace muchos años del beso de la madre sobre su frente... ¡Cristo no tiene hogar! ¿No queremos dárselo nosotros, los que tenemos la dicha de tener hogar confortable, comida abundante, medios para educar y asegurar el porvenir de los hijos? 'Lo que hagan al más pequeño de mis hermanos, me lo hacen a Mí', ha dicho Jesús"*. Y así nace el Hogar de Cristo. A la salida del retiro, recibe las primeras donaciones: un terreno, varios cheques y joyas.

En mayo de 1945, el Arzobispo de Santiago, Mons. José María Caro bendice la primera sede del Hogar de Cristo. Al año siguiente se inaugura la Hospedería de la calle Chorrillos. Poco a poco, el Hogar de Cristo crecerá hasta niveles admirables, prestando un inestimable servicio a los más pobres y creando una corriente de solidaridad que actualmente ha superado las fronteras de nuestra patria. Su propósito es no contentarse con dar alojamiento: *"Una de las primeras cualidades que hay que devolver a nuestros indigentes es la conciencia de su valor de personas, de su dignidad de ciudadanos, más aún, de hijos de Dios"*. Los niños del Mapocho debían llegar a ser obreros especializados.

Entretanto continúa su labor formativa entre los jóvenes, y prosigue con la predicación de retiros. En junio del mismo año, en una charla de preparación a la fiesta del Sagrado Corazón, recuerda a los estudiantes su responsabilidad social, responsabilidad que es una consecuencia de las palabras de Cristo: *"El deber social del universitario no es sino la traducción concreta a su vida de estudiante hoy y de futuro profesional, mañana, de las enseñanzas de Cristo"*, e invita a cada uno a *"estudiar su carrera en función de los problemas sociales propios de su ambiente profesional"*. Pide a los jóvenes una gran generosidad, con la certeza de que *"el que ha mirado profundamente una vez siquiera los ojos de Jesús, no lo olvidará jamás"*.

En septiembre de 1945, el Padre Hurtado realiza un viaje a EE.UU. y a otros países de Centro América. En octubre llega a Dallas y comienza una nutrida agenda de entrevistas y visitas a instituciones de beneficencia, semejantes al Hogar de Cristo. El 29 de enero comienza su retiro espiritual en Baltimore. El viaje de regreso de Nueva York a Valparaíso lo realiza a bordo del barco *"Illapel"*. Durante esta travesía escribe: *"Cada vez que subía al puente de mando y veía el trabajo del timonel, no podía menos de hacer una meditación fundamental, la más fundamental de todas, la que marca 'el Rumbo de la vida'"*.

Apostolado social

Vuelve a sus nutridas labores habituales: predicación de retiros, dirección espiritual de jóvenes, preocupación por las vocaciones sacerdotales, el Hogar de Cristo, clases en el Colegio San Ignacio y en la Universidad Católica, etc. El 13 de junio de

1947, día del Sagrado Corazón, junto a un grupo de universitarios, constituye la *Acción Sindical y Económica Chilena* (ASICH), como un modo de buscar *"la manera de realizar una labor que hiciera presente a la Iglesia en el terreno del trabajo organizado"*.

Entre julio de 1947 y enero de 1948, el P. Hurtado realiza un viaje a Francia para asistir a una serie de importantes congresos y semanas de estudio. A su superior, el Padre Álvaro Lavín, le solicita el permiso para el viaje: *"¿Será mucha audacia pedirle que piense si sería posible que asistiera este servidor al Congreso de París?"*. Otorgado el permiso, parte a Francia el 24 de julio de 1947. Participa en la *34ª Semana Social* en París, donde sostiene conversaciones con el Cardenal E. Suhard, Arzobispo de París; pasa una semana en *La Acción Popular* (centro de acción social organizado por los jesuitas franceses, actualmente *CERAS*), y luego participa en la *Semana Internacional* de los jesuitas en Versalles, donde el Padre Hurtado habla en dos oportunidades acerca de la situación de Chile. Su exposición es descrita como *"un grito de angustia, pero al mismo tiempo, una irresistible lección de celo apostólico puro y ardientemente sobrenatural"*, y es considerado una de las personalidades más notables del encuentro.

El 24 de agosto, pasando por Lourdes, viaja a España, y de regreso permanece un par de días con los sacerdotes obreros en Marsella; en septiembre asiste al *Congreso de Pastoral Litúrgica*, en Lyon, y participa en la *Semana de Asesores de la Juventud Obrera Católica* en Versalles.

En octubre viaja a Roma, y tiene tres audiencias con el P. Janssens, General de los jesuitas, un encuentro con Monseñor Montini (futuro Papa Pablo VI), y el 18 de octubre es recibido en audiencia especial por el Papa Pío XII, que le otorga un gran apoyo. Finalmente, junto a Manuel Larraín, visita al filósofo Jacques Maritain. El propio Padre Hurtado afirma: *"El mes en Roma fue una gracia del cielo, pues vi y oí cosas sumamente interesantes que me han animado mucho para seguir íntegramente en la línea comenzada. En este sentido las palabras de aliento del Santo Padre y de Nuestro Padre General han sido para mí un estímulo inmenso"*.

Vuelve a Francia y permanece dos semanas con el Padre J. Lebret en *Economía y Humanismo,* otra institución católica dedicada al estudio de los problemas sociales y económicos. Durante estos días, realiza un viaje rápido a Bélgica para estudiar la Liga de Campesinos Católicos, los Sindicatos Cristianos y la Juventud Obrera Católica. Con razón pudo escribir: *"acumulo toneladas de experiencias interesantísimas"*.

Después de este nutrido itinerario de congresos y entrevistas, el 17 de noviembre llega a París, para *"encerrarme por un tiempo en mi pieza, pues las experiencias acumuladas son demasiado numerosas y hay que asentarlas, madurarlas, anotarlas"*. En diciembre escribe: *"Aquí me tiene en París, haciendo vida de Casa de Retiro, encerrado en una pieza, lleno de libros... hay tanto que hacer, tanto que leer y meditar, pues, este viaje me lo ha dado Dios para que me renueve y me prepare en los tremendos problemas que por allá tenemos"*. Permanece más de dos meses casi sin salir de París, y sólo va unos días a un Congreso de moralistas en la ciudad de Lyon. Su exposición es acerca de la relación entre Iglesia y Estado, y se titula *"¿Con o sin el poder?"*.

De este viaje rescata muchos aspectos; su opinión general del movimiento católico social es ciertamente positiva, pero también se adelanta en ver ciertos riesgos. Por ejemplo, respecto del Congreso de moralistas, ve *"un afán excesivo de renovación"* y una tendencia *"a olvidar los valores reales de la Iglesia, la visión tradicional"*, tendencia que tiene como consecuencia dejar a la Iglesia *"sin dirigentes auténticamente cristianos, sino con hombres de mística social, pero no cristiano-social"*; pero, a la vez, señala que *"por encima de todo hay mucho espíritu, mucho deseo de servir a la Iglesia, y una abnegación realísima como se demuestra en los trabajos que emprenden"*.

De vuelta a Chile, estas experiencias le permiten madurar su proyecto de la ASICH, poniendo como punto de partida su sólido fundamento en Cristo y en su Iglesia. La tarea es dura y no exenta de malos entendidos y críticas injustas. La ASICH nace para ofrecer formación cristiana a los obreros, centrada en la enseñanza social de la Iglesia, y con miras a defender la dignidad del trabajo humano por sobre cualquier consigna ideológica. Las críticas se repiten; sin embargo no logran desalentar al Padre Hurtado. Una carta que revela la personalidad del P. Hurtado, dice: *"Claro que hay muchos peligros, y que el terreno es difícil... ¿Quién no lo ve? Pero, ¿será ésta una razón para abandonarlo aún más tiempo?... ¿Que alguna vez voy a meter la pata? ¡Cierto! Pero, ¿no será más metida de pata, por cobardía, por el deseo de lo perfecto, de lo acabado, no hacer lo que pueda?"*.

Últimos años de apostolado

Continúa con su intensa actividad apostólica habitual, de clases, confesionario, grupos, dirección espiritual, Hogar de Cristo y retiros espirituales. Durante 1948 predica algunas conferencias en Valparaíso, Temuco, Sewell, Iquique, Putaendo y Chillán; algunas conferencias son muy concurridas, hasta 4.000 personas, y son transmitidas por radio. Las predicaciones del mes de María en la Iglesia de San Francisco son consideradas por el P. Hurtado *"el ministerio de más fruto del año"*.

Las actividades se multiplican. Se cumple lo que él había escrito: *"Si alguien ha comenzado a vivir para Dios en abnegación y amor a los demás, todas las miserias se darán cita en su puerta... Soy con frecuencia como una roca golpeada por todos lados por las olas que suben. No queda más escapada que por arriba. Durante una hora, durante un día, dejo que las olas azoten la roca; no miro el horizonte, sólo miro hacia arriba, hacia Dios. ¡Oh bendita vida activa, toda consagrada a mi Dios, toda entregada a los hombres, y cuyo exceso mismo me conduce para encontrarme a dirigirme hacia Dios! Él es la sola salida posible en mis preocupaciones, mi único refugio"*.

En enero de 1950, el episcopado boliviano lo invita a participar en la Primera Concentración Nacional de Dirigentes del Apostolado Económico Social. En ella urge a buscar a Cristo completo, con todas sus consecuencias: *"por la fe debemos ver a Cristo en los pobres"*, y buscar soluciones técnicas adecuadas, pues, *"ha llegado la hora en que nuestra acción económico–social debe cesar de contentarse con repetir consignas generales sacadas de las encíclicas de los Pontífices y proponer soluciones bien estudiadas de aplicación inmediata en el campo económico y social".*

Impulsado por su interés por el apostolado intelectual, funda la Revista Mensaje. El P. Hurtado deseaba la publicación de *"una revista de vuelo"* con la finalidad de dar formación religiosa, social y filosófica. Lo que él quería era: *"Orientar, y ser el testimonio de la presencia de la Iglesia en el mundo contemporáneo"*. En octubre de 1951 apareció el primer número de Mensaje. En su editorial, explica que el nombre alude *"al Mensaje que el Hijo de Dios trajo del cielo a la tierra y cuyas resonancias nuestra revista desea prolongar y aplicar a nuestra patria chilena y a nuestros atormentados tiempos"*.

Volviendo a la casa del Padre Dios

Su testimonio más conmovedor es su enfermedad y su muerte. Frente a la muerte se revela la profundidad del hombre y se manifiesta la grandeza de Dios. Cuando le comunican la noticia de su enfermedad incurable, el Padre Hurtado exclama: *"¡Cómo no voy a estar contento! ¡Cómo no estar agradecido con Dios! En lugar de una muerte violenta me manda una larga enfermedad para que pueda prepararme; no me da dolores; me da el gusto de ver a tantos amigos, de verlos a todos. Verdaderamente, Dios ha sido para mí un Padre cariñoso, el mejor de los padres"*.

El P. Hurtado ha deseado profundamente a lo largo de su arduo trabajo la vida eterna, es decir, el encuentro definitivo con Cristo. Así lo muestra una de las páginas más hermosas de sus escritos: *"¿Y yo?, ante mí la eternidad. Yo, un disparo en la eternidad. Después de mí, la eternidad. Mi existir, un suspiro entre dos eternidades. Mi vida, pues, un disparo a la eternidad. No apegarme aquí, sino a través de todo mirar la vida venidera. Que todas las creaturas sean transparentes y me dejen siempre ver a Dios y la eternidad. A la hora que se hagan opacas, me vuelvo terreno y estoy perdido. Después de mí la eternidad. Allá voy y muy pronto... Cuando uno piensa que tan pronto terminará lo presente, saca uno la conclusión: ser ciudadanos del cielo, no del suelo"*. La imagen del disparo, junto con manifestar la fugacidad de la vida, insiste en que la vida está concentrada en una sola dirección: la eternidad.

La generosidad de su entrega se comprende a la luz de sus convicciones: *"La vida ha sido dada al hombre para cooperar con Dios, para realizar su plan; la muerte es el complemento de esa colaboración, pues es la entrega de todos nuestros poderes en manos del Creador. Que cada día sea como la preparación de mi muerte, entregándome minuto a minuto a la obra de cooperación que Dios me pide, cumpliendo mi misión, la que Dios espera de mí, la que no puedo hacer sino yo"*.

Durante todo su ministerio habla de la eternidad, que describe como *"un viaje infinitamente nuevo y eternamente largo"*, y busca las imágenes más atractivas para referirse a ella: *"Esta vida se nos ha dado para buscar a Dios, la muerte para hallarlo, la eternidad para poseerlo. Llega el momento en que después del camino se llega al término. El hijo encuentra a su Padre y se echa en sus brazos, brazos que son de amor, y por eso, para nunca cerrarlos los dejó clavados en su cruz; entra en su costado que, para significar su amor, quedó abierto por la lanza, manando de él sangre que redime y agua que purifica"*. El valor de estas palabras aumenta por la alegría y serenidad con que el Padre Hurtado enfrentó su propia muerte. Esta *visión de eternidad* lo había llevado a comprometerse tan profundamente con el mundo y con los hombres *"hasta no poder soportar sus desgracias"*; esta visión de fe lo había impulsado a escribir: *"Encerrar a los hombres en mi corazón, todos a la vez. Ser plenamente consciente de mi inmenso tesoro, y con un ofrecimiento vigoroso y generoso, ofrecerlos a Dios. Hacer en Cristo la unidad de mis amores. Todo esto en mí como una ofrenda, como un don que revienta el pecho; un movimiento de Cristo en mi interior que despierta y aviva mi caridad; un movimiento de la humanidad, por mí, hacia Cristo. ¡Eso es ser sacerdote!"*.

El día 18 de agosto de 1952, a las 5 de la tarde, el Padre Hurtado muere santamente, rodeado de sus hermanos de comunidad. Pocos días antes de su muerte, dicta una carta, que podemos considerar una tarea: *"Al partir, volviendo a mi Padre Dios, me permito confiarles un último anhelo: A medida que aparezcan las necesidades y dolores de los pobres, busquen cómo ayudarlos como se ayudaría al Maestro. Al darles a todos y a cada uno en particular este saludo, les confío, en nombre de Dios, a los pobrecitos".*

Su muerte impacta a la sociedad chilena. El 20 de agosto, a las 8:30 hrs., se celebra la misa de funerales. El Cardenal Caro reza el responso, y la homilía está a cargo de su amigo, Monseñor Manuel Larraín, el obispo de Talca, quien afirmó: *"Si silenciáramos la lección del P. Hurtado, desconoceríamos el tiempo de una gran visita de Dios a nuestra patria"*. Asiste una gran muchedumbre de gente, de todos los sectores de la sociedad. A las 10:30 hrs., sale el cortejo hacia la Parroquia de Jesús Obrero. El trayecto de unas 40 cuadras se hace a pie, a petición de los asistentes. Al salir de la iglesia de San Ignacio, se forma en el cielo una cruz de nubes.

Las palabras de Gabriela Mistral permanecen como una tarea: *"Duerma el que mucho trabajó. No durmamos nosotros, no, como grandes deudores huidizos que no vuelven la cara hacia lo que nos rodea, nos ciñe y nos urge casi como un grito..."*.

El año de su muerte, el Padre Lavín sugiere que se inicie su proceso. En 1955, el Provincial, Carlos Pomar, comienza con las consultas a los testigos. En 1971, la Conferencia Episcopal de Chile pide la introducción de su Causa de Canonización. En su viaje a Chile, el Santo Padre, Juan Pablo II, visita el Hogar de Cristo, reza ante la tumba del Padre Hurtado y propone estas desafiantes palabras: *"¿Podrá también en nuestros días el Espíritu suscitar apóstoles de la estatura del Padre Hurtado, que muestren con su abnegado testimonio de caridad la vitalidad de la Iglesia? Estamos seguros que sí; y se lo pedimos con fe"*.

El 16 de octubre de 1994, Juan Pablo II beatifica al Padre Hurtado, y el 23 de octubre de 2005, Benedicto XVI lo canoniza. En la audiencia con los peregrinos, el Santo Padre nos recuerda: *"El objetivo de su vida fue ser otro Cristo. Así se comprende mejor su conciencia filial ante el Padre, su espíritu de oración, su hondo amor a María, su generosidad en darse totalmente, su entrega y servicio a los pobres. A la luz de la verdad del Cuerpo Místico, experimentó el dolor ajeno como propio y esto lo impulsó a una mayor dedicación a los pobres"*.

* Nota: El presente libro pretende difundir los escritos del Padre Hurtado a un público amplio. Por ello, los textos han sido ligeramente adaptados, para facilitar su lectura, y en el caso de los documentos demasiado largos, han sido omitidos algunos párrafos. De todos modos, el lector podrá acceder a los textos completos, que han sido editados por EDICIONES UNIVERSIDAD CATÓLICA DE CHILE. Las anécdotas, por lo general, están tomadas de los documentos oficiales del proceso de canonización. Esperamos que la lectura de estas páginas despierte el interés por los textos completos. La referencia de la fuente de cada documento se encuentra al final, en la página 185.

Páginas escogidas

de los escritos de

San Alberto Hurtado

Alberto Hurtado

¿A quiénes amar?

Reflexión personal, noviembre de 1947

¿A quiénes amar? A todos mis hermanos de humanidad. Sufrir con sus fracasos, con sus miserias, con la opresión de que son víctima. Alegrarme de sus alegrías. Comenzar por traer de nuevo a mi espíritu todos aquellos a quienes he encontrado en mi camino: Aquellos de quienes he recibido la vida, quienes me han dado la luz y el pan. Aquellos con los cuales he compartido techo y pan. Los que he conocido en mi barrio, en mi colegio, en la Universidad, en el cuartel, en mis años de estudio, en mi apostolado... Aquellos a quienes he combatido, a quienes he causado dolor, amargura, daño... A todos aquellos a quienes he socorrido, ayudado, sacado de un apuro... Los que me han contrastado, me han despreciado, me han hecho daño. Aquellos que he visto en los conventillos, en los ranchos, debajo de los puentes. Todos esos cuya desgracia he podido adivinar, vislumbrar su inquietud. Todos esos niños pálidos, de caritas hundidas... Esos tísicos de San José, los leprosos de Fontilles... Todos los jóvenes que he encontrado en un círculo de estudios... Aquellos que me han enseñado con los libros que han escrito, con la palabra que me han dirigido. Todos los de mi ciudad, los de mi país, los que he encontrado en Europa, en América... Todos los del mundo: son mis hermanos.

Encerrarlos en mi corazón, todos a la vez. Cada uno en su sitio, porque, naturalmente, hay sitios diferentes en el corazón del hombre. Ser plenamente consciente de mi inmenso tesoro, y con un ofrecimiento vigoroso y generoso, ofrecerlos a Dios. Hacer en Cristo la unidad de mis amores. Todo esto en mí como una ofrenda, como un don que revienta el pecho; un movimiento de Cristo en mi interior que despierta y aviva mi caridad; un movimiento de la humanidad, por mí, hacia Cristo. ¡Eso es ser sacerdote!

Mi alma jamás se había sentido más rica, jamás había sido arrastrada por un viento tan fuerte, y que partía de lo más profundo de ella misma; jamás había reunido en sí misma tantos valores para elevarse con ellos hacia el Padre.

Urgido por la justicia y animado por el amor

Atacar, no tanto los efectos, cuanto sus causas. ¿Qué sacamos con gemir y lamentarnos? Luchar contra el mal cuerpo a cuerpo. Meditar y volver a meditar el evangelio del camino de Jericó (cf. Lc 10,30-32). El agonizante del evangelio es el desgraciado que encuentro cada día, pero es también el proletariado oprimido, el rico materializado, el hombre sin grandeza, el poderoso sin horizonte, toda la humanidad de nuestro tiempo, en todos sus sectores.

Tomar en primer lugar la miseria del pueblo. Es la menos merecida, la más tenaz, la que más oprime, la más fatal. Y el pueblo no tiene a nadie para que lo preserve, para que lo saque de su estado. Algunos se compadecen de él, otros lamentan sus males, pero, ¿quién se consagra en cuerpo y alma a atacar las causas profundas de sus males? De aquí la ineficacia de la filantropía, de la mera asistencia, que es un parche a la herida, pero no el remedio profundo. La miseria del pueblo es de cuerpo y alma a la vez.

Lo primero, amarlos: Amar el bien que se encuentra en ellos, su simplicidad, su rudeza, su audacia, su fuerza, su franqueza, sus cualidades de luchador, sus cualidades humanas, su alegría, la misión que realizan ante sus familias... Amarlos hasta no poder soportar sus desgracias... Prevenir las causas de sus desastres, alejar de sus hogares el alcoholismo, las enfermedades sociales, la tuberculosis. Mi misión no puede ser solamente consolarlos con hermosas palabras y dejarlos en su miseria, mientras yo almuerzo tranquilamente, y mientras nada me falta. Su dolor debe hacerme mal: la falta de higiene de sus casas, su alimentación deficiente, la falta de educación de sus hijos, la tragedia de sus hijas: que todo lo que los disminuye, que me desgarre a mí también.

Amarlos para hacerlos vivir, para que la vida humana se desarrolle en ellos, para que se abra su inteligencia y no queden retrasados. Que los errores anclados en su corazón me pinchen continuamente. Que las mentiras o las ilusiones con que los embriagan, me atormenten; que los periódicos materialistas con que los ilustran, me irriten; que sus prejuicios me estimulen a mostrarles la verdad.

Y esto no es más que la traducción de la palabra *"amor"*. Los he puesto en mi corazón para que vivan como hombres en la luz, y la luz no es sino Cristo, *"verdadera Luz que alumbra a todo hombre que viene a este mundo"* (Jn 1,9). Toda luz de la razón natural es luz de Cristo; todo conocimiento, toda ciencia humana. Cristo es la ciencia suprema.

Pero Cristo les trae otra luz, una luz que orienta sus vidas hacia lo esencial, que les ofrece una respuesta a sus preguntas más angustiosas. ¿Por qué viven? ¿A qué destino han sido llamados? Sabemos que hay un gran llamamiento de Dios sobre cada uno de ellos, para hacerlos felices en la visión de Él mismo, *cara a cara* (1Cor 13,12). Sabemos que han sido llamados a ensanchar su mirada hasta saciarse del mismo Dios. Y este llamamiento es para cada uno de ellos, para los más miserables, para los más ignorantes, para los más descuidados, para los más depravados de entre ellos. La luz de Cristo *brilla entre las tinieblas* para todos ellos (cf. Jn 1,5). Necesitan de esta luz. Sin esta luz serán profundamente desgraciados.

Amarlos apasionadamente en Cristo, para que la semejanza divina progrese en ellos, para que se rectifiquen en su interior, para que tengan horror de destruirse o de disminuirse, para que tengan respeto de su propia grandeza y de la grandeza de toda creatura humana, para que respeten el derecho y la verdad, para que todo su ser espiritual se desarrolle en Dios, para que encuentren a Cristo como la coronación de su actividad y de su amor, para que el sufrimiento de Cristo les sea útil, para que *su sufrimiento complete el sufrimiento de Cristo* (cf. Col 1,24).

Si los amamos, sabremos lo que tendremos que hacer por ellos. ¿Responderán ellos? Sí, en parte. Dios quiere sobre todo mi esfuerzo, y nada se pierde de lo que se hace en el amor.

Un padre capuchino le observó celebrar la Misa, y le llamó tan poderosamente la atención que decía no haber visto nunca una celebración tan edificante, y que al ser así los sacerdotes chilenos, deberían ser todos santos... Su fuego era capaz de encender otros fuegos (Mons. Francisco Valdés).

El Rumbo de la vida

Meditación a bordo de un barco, febrero de 1946

Un regalo de mi Padre Dios ha sido un viaje de 30 días en barco de Nueva York a Valparaíso. Por generosidad del bondadoso Capitán tenía una mesa en el puente de mando, al lado del timonel, donde me iba a trabajar tranquilo con luz, aire, vista hermosa... La única distracción eran las voces de orden con relación al rumbo del viaje. Y allí aprendí que el timonel, como me decía el Capitán, lleva nuestras vidas en sus manos porque lleva el rumbo del buque. El rumbo en la navegación es lo más importante. Un piloto lo constata permanentemente, lo sigue paso a paso por sobre la carta, lo controla tomando el ángulo de sol y horizonte, se inquieta en los días nublados porque no ha podido verificarlo, se escribe en una pizarra frente al timonel, se le dan órdenes que, para cerciorarse que las ha entendido, debe repetirlas cada una. *"A babor, a estribor, un poquito a babor, así como va..."*. Son voces de orden que aprendí y no olvidaré.

Cada vez que subía al puente y veía el trabajo del timonel no podía menos de hacer una meditación fundamental, la más fundamental de todas, la que marca el rumbo de la vida.

En Nueva York había multitud de buques, de toda especie. ¿Qué es lo que los diferencia más fundamentalmente? El rumbo que van a tomar. El mismo barco 'Illapel' en Valparaíso tenía rumbo Nueva York o Río de Janeiro; en Nueva York tenía rumbo Liverpool o Valparaíso.

Apreciar la necesidad de tomar en serio el rumbo. En un barco al Piloto que se descuida se le despide sin remisión, porque juega con algo demasiado sagrado. Y en la vida, ¿cuidamos de nuestro rumbo?

¿Cuál es tu rumbo? Si fuera necesario detenerse aún más en esta idea, yo ruego a cada uno de ustedes que le dé la máxima importancia, porque acertar en esto es sencillamente acertar; fallar en esto es simplemente fallar.

Barco magnífico: el "Queen Elizabeth", 70.000 toneladas (el "Illapel" cargado son 8.000 toneladas). Si me tiento por su hermosura y me subo en él sin cuidarme de su rumbo, corro el pequeño riesgo que en lugar de llegar a Valparaíso, ¡¡llegue a Manila!! Y en lugar de estar con ustedes, vea caras filipinas.

Cuántos van sin rumbo y pierden sus vidas... las gastan miserablemente, las dilapidan sin sentido alguno, sin bien para nadie, sin alegría para ellos y al cabo de algún tiempo sienten la tragedia de vivir sin sentido. Algunos toman rumbo a tiempo, otros naufragan en alta mar, o mueren por falta de víveres, extraviados, ¡o van a estrellarse en una costa solitaria!

El trágico problema de la falta de rumbo, es tal vez el más trágico problema de la vida. El que pierde más vidas, el responsable de mayores fracasos. Yo pienso que si los escollos morales fueran físicos, y la conducta de nosotros fuera un buque de fierro, por más sólido que haya sido construido, no quedaría sino restos de naufragios.

Si la fe nos da el rumbo y la experiencia nos muestra los escollos, tomémoslos en serio. Mantener el timón. Clavar el timón, y como a cada momento las olas y las corrientes desvían, rectificar, rectificar a cada instante, de día y de noche... ¡No las costas atractivas, sino el rumbo señalado! Pedir a Dios la gracia grande: ser hombres de rumbo.

1° punto: El puerto de partida. Es el primer elemento básico para fijarlo. Y aquí clavar mi alma en el hecho básico: Dios y yo. El primer hecho macizo de toda filosofía, de todo sistema de vida: Vengo de Dios, sí, de Él. Todo de Él. Nada más cierto, y sobre este hecho voy a edificar mi vida, sobre este primer dato voy a fijar mi rumbo.

Tomar en serio estas verdades: Que sirvan para fundar mi vida, para darme rumbo. De aquí también esa actitud, no de orgullo, pero sí de valentía, de serenidad y de confianza, que nos da nuestra fe: No nos fundamos en una cavilación sino en una maciza verdad.

2° punto: El puerto de término. Es el otro punto que fija el rumbo. ¿Valparaíso o Liverpool? De Nueva York salía junto a nosotros el 'Liberty', un portaaviones... ¿A dónde se dirigen? Desde la Universidad de Chile o desde la fábrica, ¿a dónde? ¡El término de mi vida es Él!

3º punto: El camino. Tengo los dos puntos, los dos puertos. ¿Por dónde he de enderezar mi barco? Al puerto de término, por un camino que es la voluntad de Dios. La realización en concreto de lo que Dios quiere. He aquí la gran sabiduría. Todo el trabajo de la vida sabia consiste en esto: en conocer la voluntad de mi Señor y Padre. Trabajar en conocerla, trabajo serio, obra de toda la vida, de cada día, de cada mañana: ¿qué quieres Señor de mí? Trabajar en realizarla, en servirle en cada momento. Esta es mi gran misión, mayor que hacer milagros. Dios nos quiere santos: no mediocres, sino santos.

¿Cuál es el Camino de mi vida? La voluntad de Dios: santificarme, colaborar con Dios, realizar su obra. ¿Habrá algo más grande, más digno, más hermoso, más capaz de entusiasmar? ¡¡Llegar al Puerto!!

Y para llegar al puerto no hay más que este camino que conduzca... ¡¡Los otros, a otros puertos, que no son el mío!! Y aquí está todo el problema de la vida. Llegar al puerto que es el fin de mi existencia. El que acierta, acierta; y el que aquí no llega es un gran errado, sea un millonario, un Hitler, un Napoleón, un afortunado en el amor, si aquí no acierta, su vida nada vale; si aquí acierta: feliz por siempre jamás. ¡¡Amén!!

¿De dónde vengo? ¿Hacia dónde voy? ¡Qué grande! ¿Por qué camino? Enfrentar el rumbo. El timón firme en mi mano y cuando arrecien los vientos, rumbo a Dios; y cuando me llamen de la costa, rumbo a Dios; y cuando me canse, ¡¡rumbo a Dios!!

¿Solo? No. ¡Con todos los tripulantes que Cristo ha querido encargarme de conducir, alimentar y alegrar! ¡Qué grande es mi vida! ¡Qué plena de sentido! Con muchos rumbos al cielo. Darles a los hombres lo más precioso que hay: Dios; y dar a Dios lo que más ama, aquello por lo cual dio su Hijo: los hombres. Señor, ayúdame a sostener el timón siempre al cielo, y si me voy a soltar, clávame en mi rumbo, por tu Madre Santísima, Estrella de los mares, Dulce Virgen María.

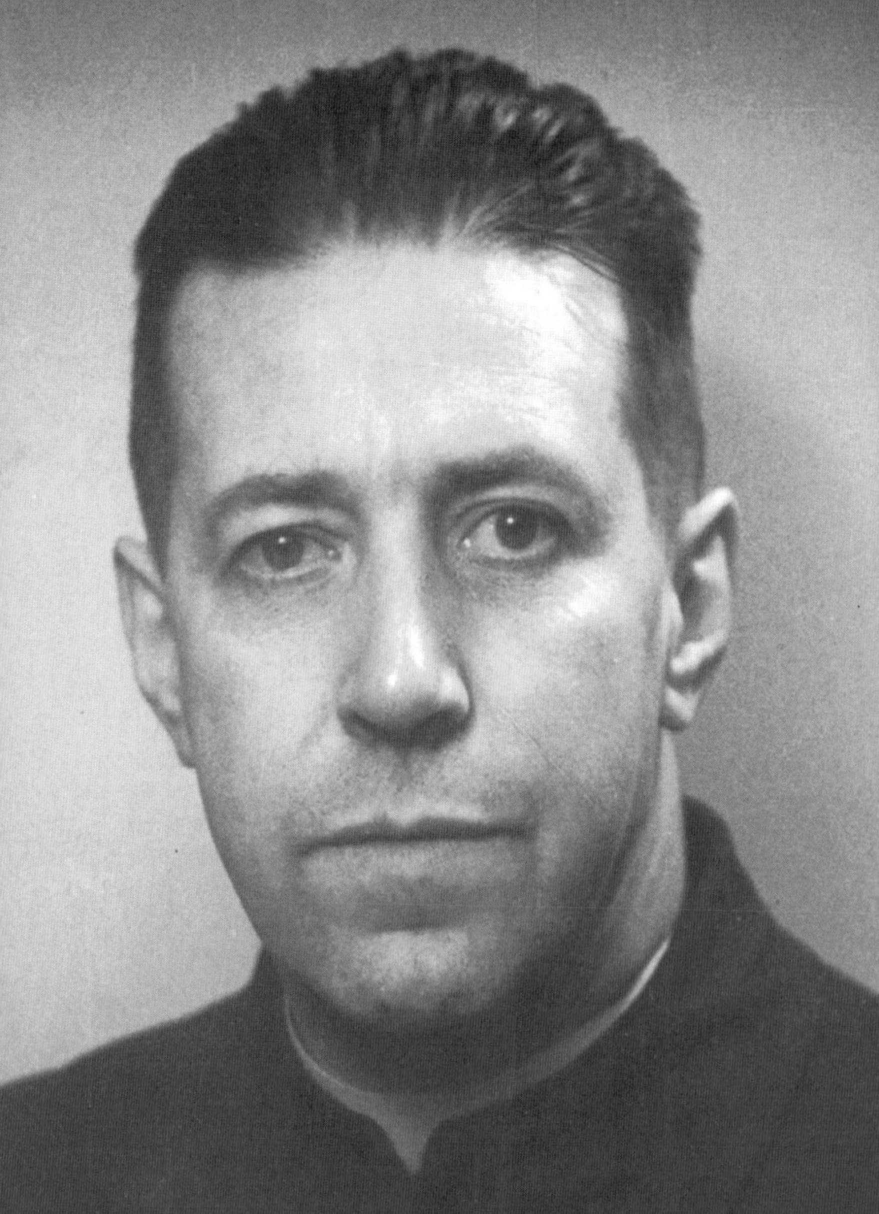

El Padre Hurtado tenía la convicción que no pasaría los cincuenta años, y estaba dispuesto a quemar su vida, viviéndola intensamente, en esos pocos años que él creía tener por delante (P. Arturo Gaete, s.j.).

La búsqueda de Dios

Meditación que el Padre Hurtado pidió que se publicara después de su muerte

Época trágica la nuestra. Esta generación ha conocido dos horribles guerras mundiales y está a las puertas de un conflicto aún más trágico, un conflicto tan cruel que hasta los más interesados en provocarlo se detienen espantados, ante el pensamiento de las ruinas que acarreará. La literatura que expresa nuestro siglo es una literatura apocalíptica, testimonio de un mundo atormentado hasta la locura.

¡Cuántos, en nuestro siglo, si no locos, se sienten inquietos, desconcertados, tristes, profundamente solos en el vasto mundo superpoblado, pero sin que la naturaleza ni los hombres hablen de nada a su espíritu, ni les den un mensaje de consuelo! ¿Por qué? Porque Dios está ausente de nuestro siglo. Muchas definiciones se pueden dar de nuestra época: edad del maquinismo, del relativismo, del confort. Mejor se diría una sociedad de la que Dios está ausente.

Los grandes ídolos de nuestro tiempo son el dinero, la salud, el placer, la comodidad: lo que sirve al hombre. Y si pensamos en Dios, siempre hacemos de Él *un medio* al servicio del hombre: le pedimos cuentas, juzgamos sus actos, y nos quejamos cuando no satisface nuestros caprichos. Dios en sí mismo parece no interesarnos. La contemplación está olvidada, la adoración y alabanza es poco comprendida. El criterio de la eficacia, el rendimiento, la utilidad, funda los juicios de valor. No se comprende el acto gratuito, desinteresado, del que nada hay que esperar económicamente.

Hasta los cristianos, a fuerza de respirar esta atmósfera, estamos impregnados de materialismo, de materialismo práctico. Confesamos a Dios con los labios, pero nuestra vida de cada día está lejos de Él. Nos absorben las mil ocupaciones.

Nuestra vida de cada día es pagana. En ella no hay oración, ni estudio del dogma, ni tiempo para practicar la caridad o para defender la justicia. La vida de muchos de nosotros ¿no es, acaso, un absoluto vacío? ¿No leemos los mismos libros, asistimos a los mismos espectáculos, emitimos los mismos juicios sobre la vida y sobre los acontecimientos, sobre el divorcio, limitación de nacimientos, anulación de matrimonios, los mismos juicios que los ateos? Todo lo que es propio del cristiano: conciencia, fe religiosa, espíritu de sacrificio, apostolado, es ignorado y aun denigrado: nos parece superfluo. La mayoría lleva una vida puramente material, de la cual la muerte es el término final. ¡Cuántos bautizados lloran delante de una tumba como los que no tienen esperanza!

La inmensa amargura del alma contemporánea, su pesimismo, su soledad... las neurosis y hasta la locura, tan frecuentes en nuestro siglo, ¿no son el fruto de un mundo que ha perdido a Dios? Ya bien lo decía San Agustín: *"Nos creaste, Señor, para ti y nuestro corazón está inquieto hasta que descanse en ti"*.

Felizmente, el alma humana no puede vivir sin Dios. Espontáneamente lo busca, aun en manifestaciones objetivamente desviadas. En el hambre y sed de justicia que devora muchos espíritus, en el deseo de grandeza, en el espíritu de fraternidad universal, está latente el deseo de Dios. La Iglesia Católica desde su origen, más aún, desde su precursor, el Pueblo prometido, no es sino la afirmación nítida, resuelta, de su creencia en Dios. Por confesarlo, murieron muchos en el Antiguo Testamento; por ser fiel al mensaje de su Padre, murió Jesús; y después de Él, por confesar un Dios Uno y Trino cuyo Hijo ha habitado entre nosotros, han muerto millones de mártires: desde Esteban y los que como antorchas iluminaban los jardines de Nerón, hasta los que en nuestros días mueren en Rusia, en Checoslovaquia, en Yugoslavia; ayer en Japón, en España y en Méjico, han dado su sangre por Él. A otros no se les ha pedido este testimonio supremo, pero en su vida de cada día lo afirman valientemente: Religiosos que abandonan el mundo para consagrarse a la oración; religiosas que unen su vida de obreras, en la fábrica, a una profunda vida contemplativa; universitarios animados de un serio espíritu de oración; obreros, como los de la JOC, que son ya más de un millón en el mundo, para los cuales la plegaria parece algo connatural; y junto a ellos, sabios, sabios que se precian de su calidad de cristianos. Hay grupos selectos que buscan a Dios con toda su alma y cuya voluntad es el supremo anhelo de sus vidas.

Y cuando lo han hallado, su vida descansa como en una roca inconmovible; su espíritu reposa en la paternidad divina, como el niño en los brazos de su madre (cf. Sal 130). Cuando Dios ha sido hallado, el espíritu comprende que lo único grande que existe es Él. Frente a Dios, todo se desvanece: cuanto a Dios no interesa se hace indiferente. Las decisiones realmente importantes y definitivas son las que yacen en Él.

Al que ha encontrado a Dios acontece lo que al que ama por primera vez: corre, vuela, se siente transportado; todas sus dudas están en la superficie, en lo hondo de su ser reina la paz. No le importa ni mucho ni poco cuál sea su situación, ni si escucha o no sus oraciones. Lo único importante es: *Dios está presente. Dios es Dios.* Ante este hecho, calla su corazón y reposa.

En el alma de este repatriado hay dolor y felicidad al mismo tiempo. Dios es a la vez su paz y su inquietud. En Él descansa, pero no puede permanecer un momento inmóvil. Tiene que descansar andando; tiene que guarecerse en la inquietud. Cada día se alza Dios ante él como un llamado, como un deber, como dicha próxima no alcanzada.

El que halla a Dios se siente buscado por Dios, como perseguido por Él, y en Él descansa, como en un vasto y tibio mar. Esta búsqueda de Dios sólo es posible en esta vida, y esta vida sólo toma sentido por esa misma búsqueda. Dios aparece siempre y en todas partes, y en ningún lado se le halla. Lo oímos en las crujientes olas, y sin embargo calla. En todas partes nos sale al encuentro y nunca podremos captarlo; pero un día cesará la búsqueda y será el definitivo encuentro. Cuando hemos hallado a Dios, todos los bienes de este mundo están hallados y poseídos.

El llamado de Dios, que es el hilo conductor de una existencia sana y santa, no es otra cosa que el canto que desde las colinas eternas desciende dulce y rugiente, melodioso y cortante. Llegará un día en que veremos que Dios fue la canción que meció nuestras vidas. ¡Señor, haznos dignos de escuchar ese llamado y de seguirlo fielmente!

Siempre lo vi juzgar al ser humano por el lado de la bondad y decía que todo ser humano tiene un rinconcito de bondad en su corazón. Me impresionó su convencimiento de que todos los seres humanos eran rescatables para el bien (Dr. Rodolfo Armas).

Jesús recibe a los pecadores

Meditación acerca de la misericordia de Jesús

"¡Éste recibe a los pecadores!" era la acusación que lanzaban contra Jesucristo hipócritamente escandalizados los fariseos (Lc 15,2). *"¡Éste recibe a los pecadores!"*. Y ¡es verdad! Esas palabras son como el distintivo exclusivo de Jesucristo. ¡Ahí pueden escribirse sobre esa cruz, en la puerta de ese Sagrario!

Distintivo exclusivo, porque si no es Jesucristo, ¿quién recibe misericordiosamente a los pecadores? ¿Acaso el mundo?... ¿El mundo?... ¡por Dios!, si se nos asomara a la frente toda la lepra moral de injusticias que quizás ocultamos en los repliegues de la conciencia, ¿qué haría el mundo sino huir de nosotros gritando escandalizado: *¡Fuera el leproso!?* Rechazarnos brutalmente diciéndonos, como el fariseo, *¡apártate, que manchas con tu contacto!*

El mundo hace pecadores a los hombres, pero luego que los hace pecadores, los condena, los injuria, y añade al fango de sus pecados el fango del desprecio. Fango sobre fango es el mundo: el mundo no recibe a los pecadores. A los pecadores no los recibe más que Jesucristo.

San Juan Crisóstomo: *¡Dios mío, ten misericordia de mí!* ¿Misericordia pides? ¡Pues nada temas! Donde hay misericordia no hay investigaciones judiciales sobre la culpa, ni aparato de tribunales, ni necesidad de alegar razonadas excusas. ¡Grande es la tormenta de mis pecados, Dios mío! Pero, ¡mayor es la bonanza de tu misericordia!

Jesucristo, luego que apareció en el mundo, ¿a quién llama? ¡A los magos! ¿Y después de los magos? ¡Al publicano! ¿Y después del publicano? ¡A la prostituta!, ¿y después de la prostituta? ¡Al salteador! ¿Y después del salteador? ¡Al perseguidor impío!

¿Vives como un infiel? Infieles eran los magos. ¿Eres usurero? Usurero era el publicano. ¿Eres impuro? Impura era la prostituta. ¿Eres homicida? Homicida era el salteador. ¿Eres impío?

Impío era Pablo, porque primero fue blasfemo y luego apóstol; primero perseguidor, luego evangelista... No me digas: *"soy blasfemo, soy sacrílego, soy impuro"*. Pues, ¿no tienes ejemplo de todos los pecados perdonados por Dios?

¿Has pecado? Haz penitencia. ¿Has pecado mil veces? Haz penitencia mil veces. A tu lado se pondrá Satanás para desesperarte. No lo sigas, más bien recuerda estas cinco palabras: *"Jesús recibe a los pecadores"*, palabras que son un grito inefable del amor, una efusión inagotable de misericordia, y una promesa inquebrantable de perdón.

Cuán hermoso es tornando a tus huellas
de nuevo por ellas
seguro correr.
No es tan dulce tras noche sombría
la lumbre del día
que empieza a nacer.

La sangre del Amor

Congreso de los Sagrados Corazones, 1944

Tres palabras parecen remover el mundo contemporáneo y están en el fondo de todos los sistemas que se ofrecen como solución a los males de nuestra época: colectividad, solidaridad, justicia social. Nuestra Santa Madre Iglesia no desprecia esas palabras, sino, muy por el contrario, las supera con infinita mayor riqueza y con un contenido inmensamente más revolucionario y elevándose sobre ellas habla de: unidad, fraternidad, amor. Estas tres palabras son el fondo de toda la enseñanza de la Iglesia, de su enseñanza de siempre, pero especialmente renovada en nuestros días que han presenciado un desarrollo insospechado en la riqueza de sus aplicaciones de las doctrinas más sociales y revolucionarias que jamás se hayan pronunciado sobre la tierra. *¡Cristianos, no sois máquinas, no sois bestias de carga, sois hijos de Dios! Amados por Cristo, herederos del Cielo...* Auténticamente hijos de Dios; sois uno en Cristo; en Cristo no hay ricos ni pobres, burgueses ni proletarios; ni arios ni sajones; ni mongoles ni latinos, sino que Cristo es la vida de quienes quieren aceptar la divinización de su ser.

Las grandes devociones que llenan nuestro siglo, las que brillan como el sol y la luna en nuestro firmamento son: la fe honda en Cristo, camino para el Padre; y la ternura filial para María, nuestra dulce Madre, camino para Cristo. El amor a María hace crecer en los fieles la comprensión de que María es lo que es por Cristo, su Hijo. *"¡Id a Jesús!"* es la palabra ininterrumpida de María, es el consejo que cada noche resuena en el mes de María. Y los fieles van a Jesús.

En este momento en que el mundo se desangra por la guerra; en estos momentos en que vemos a nuestra Patria penetrar en una de las etapas más difíciles de la historia, cuando la cesantía está rondando nuestros grandes centros industriales y comenzamos a ver fábricas que paran y obreros que se sumen en la desesperación de la miseria; en estos momentos en que se agudizarán las palabras de odio, fruto de la amargura y del hambre, nuestro Obispo quiere que levantemos los ojos a ese símbolo de un amor que no perece, de un amor que nos incita a amarnos de verdad, y nos urge a hacer efectivo este amor con obras de justicia primero, pero de justicia superada y coronada por la caridad. En medio de tanta sangre que derrama el odio humano, la codicia de poseer, la pasión del honor, quiere nuestra Madre la Iglesia que miremos esa otra sangre, sangre divina derramada por el amor, por el ansia de darse, por la suprema ambición de hacernos felices. La sangre del odio lavada por la Sangre del Amor.

En estos momentos, hermanos, nuestra primera misión ha de ser que nos convenzamos a fondo que Dios nos ama. Hombres todos de la tierra, pobres y ricos, Dios nos ama; su amor no ha perecido, pues, somos sus hijos. Este grito simple, pero mensaje de esperanza no ha de helarse jamás en nuestros labios: Dios nos ama, somos sus hijos... ¡Somos sus hijos!

¡Oh, vosotros los 50.000.000 de hombres que vagáis ahora fuera de vuestra Patria, arrojados de vuestro hogar por el odio de la guerra!, ¡Dios os ama! ¡Tened fe! ¡Dios os ama! ¡Jesús también quiso conocer vuestro dolor y tuvo que huir de su Patria y comer pan del destierro! Vosotros, obreros, los que estáis sumergidos en el fondo de las minas arrancando el carbón, a veces debajo del mar para ganar un trozo de pan, ¡Dios os ama! ¡Sois sus hijos! ¡El Hijo de Dios fue también obrero!

Vosotros, enfermos, que yacéis en lecho de dolor devorados por atroz enfermedad ¡sois hijos de Dios! Dios os ama; Jesús, vuestro hermano, comprende vuestro sufrimiento, el que tomó sobre sí el dolor del mundo. Vosotros mendigos, vosotros los que carecéis de todo, hasta de un techo que os cubra, los que vivís debajo de estos puentes o acurrucados en miserables chozas... ¡Dios os ama! ¡Sois hijos de Dios! Los pájaros tenían nido, las zorras una madriguera, pero Jesús, vuestro hermano, no tenía donde reclinar su cabeza.

Vosotros, los que valientemente defendéis los derechos de los oprimidos, los que pedís que se dé al trabajador un salario que concuerde con su dignidad de hombre; vosotros, los que clamáis, a veces como Juan en el desierto, que haya más igualdad en el trabajo, más equidad en el reparto de las cargas y en el goce de los beneficios, que la palabra amor deje de ser una palabra vacía para cargarse de profundo sentido divino y humano, no ceséis, no temáis; no estáis haciendo obra revolucionaria, sino profundamente humana, más aún, divina, pues Dios ama a sus hijos y quiere verlos tratados como hijos y no como parias. Si padecéis persecución por la justicia, no os desalentéis, Él la padeció primero, Él murió por dar testimonio de la verdad y del amor, pero tened confianza, Él es el vencedor del mundo y vosotros venceréis si no os separáis de sus enseñanzas y de sus ejemplos.

Si Dios nos ama, ¿cómo no amarlo? Y si lo amamos, cumplamos su mandamiento grande, su mandamiento por excelencia: *"Un mandamiento nuevo os doy: que os améis los unos a los otros como yo os he amado; en esto conocerán que sois mis discípulos, si os amáis los unos a los otros"* (Jn 13,34-35). La devoción a los Sagrados Corazones no puede contentarse con saborear el amor de Dios, sino que ha de retribuirlo con un amor efectivo. Y la razón magnífica que eleva nuestro amor al prójimo a una altura nunca sospechada por sistema humano alguno, es que nuestro prójimo es Cristo.

Que el respeto del prójimo tome el lugar de las desconfianzas: que en cada hombre, por más pobre que sea, veamos la imagen de Cristo y lo tratemos con espíritu de justicia y de amor, dándole sobre todo la confianza de su persona, que es lo que el hombre más aprecia.

Al levantar nuestros ojos y encontrarnos con los de María, nuestra Madre, nos mostrará Ella a tantos hijos suyos, predilectos de su corazón, que sufren la ignorancia más total y absoluta; nos enseñará sus condiciones de vida en las cuales es imposible la práctica de la virtud, y nos dirá: hijos, si me amáis de veras como Madre, haced cuanto podáis por estos mis hijos los que más sufren, por tanto, los más amados de mi Corazón.

Vosotros, cristianos, los que tenéis una posición desahogada, mirad aquellos que se ahogan en su posición; los que tenéis, dad a los desheredados: dadles justicia, dadles servicios, el servicio de vuestro tiempo, poned al servicio de ellos vuestra educación, poned el servicio de vuestro ejemplo, de vuestros medios. Que el fruto de este Congreso sea un incendiarse nuestra alma en deseos de amar, de amar con obras, y que esta noche al retirarnos a nuestros hogares nos preguntemos ¿qué he hecho yo por mi prójimo?, ¿qué estoy haciendo por él?, ¿qué me pide Cristo que haga por él?

El cristianismo se resume entero en la palabra amor: es un deseo ardiente de felicidad para nuestros hermanos, no sólo de la felicidad eterna del cielo, sino también de todo cuanto pueda hacerle mejor y más feliz esta vida, que ha de ser digna de un hijo de Dios. Todo cuanto encierran de justo los programas más avanzados, el cristianismo lo reclama como suyo, por más audaz que parezca; y si rechaza ciertos programas de reivindicaciones no es porque ofrezcan demasiado, sino porque en realidad han de dar demasiado poco a nuestros hermanos, porque ignoran la verdadera naturaleza humana, y porque sacrifican lo que el hombre necesita más aún que los bienes materiales, los del espíritu, sin los cuales no puede ser feliz quien ha sido creado para el infinito.

El hombre necesita pan, pero ante todo necesita fe; necesita bienes materiales, pero más aún necesita el rayo de luz que viene de arriba y alienta y orienta nuestra peregrinación terrena: y esa fe y esa luz, sólo Cristo y su Iglesia pueden darla. Cuando esa luz se comprende, la vida adquiere otro sentido, se ama el trabajo, se lucha con valentía y sobre todo se lucha con amor. El amor de Cristo ya prendió en esos corazones... Ellos hablarán de Jesús en todas partes y contagiarán a otras almas en el fuego del amor.

La oración del apóstol

Meditación de un retiro espiritual, 1942

La oración es para el apóstol la luz de la vida. La vida apostólica es altísima porque vive de ideales divinos alejados de los ideales humanos, como el cielo de la tierra. La vida apostólica es difícil y heroica, porque en cada momento ha de darlo todo por el Reino de los cielos.

En medio de tantas cosas, el apóstol debe marchar con paso firme. ¿Quién le mostrará el camino? La oración y sólo la oración. La prudencia meramente humana es enemiga de Dios y los pensamientos de Dios no son como los de los hombres, y la oración es la única que nos hace conocer a Dios y los ideales divinos. San Ignacio y sus primeros compañeros resolvían todas sus cosas en la oración como si las leyesen en la santa providencia de Dios.

La oración es el aliento y reposo del espíritu. El apóstol debe tener la fortaleza y paz de Dios, porque es su enviado. Sin embargo, en la vida real con cuánta facilidad los ministros de Dios se hacen terrenos... Para hallar esa paz necesita el apóstol la oración, pero no una oración formulista; sino una oración continuada en largas horas de oración y quietud, y hecha en unión de espíritu con Dios.

Jesús, después de 30 años de oración, va al desierto, pasa noches de oración preparando el mañana. ¡Ay del apóstol que no obre así! Se hará traficante de cosas humanas y de pasiones personales, bajo apariencia de ministerio espiritual.

Encontrándome solo con él en su pieza de la Clínica, el día antes de su muerte, el Padre Hurtado me dijo: 'Pronto se descorrerá el velo y veré al Patrón y a la Virgen María'. ¿Quieres enviarle algún recado a Cristo? Me arrodillé, llorando, tomé sus manos y le pedí tres cosas... Él me respondió: 'Llegando, se lo diré' (P. Fernando Karadima).

Visión de eternidad

Meditación de Semana Santa para jóvenes, 1946

"Yo he venido para que tengan vida y la tengan en abundancia"

(Jn 10,10)

Vengo llegando del país más grande del mundo. Así lo decía el segundo grande, Churchill, hablando de Norte América en el Hotel más grande del globo, el Waldorf Astoria, el más cómodo del globo. Allí están los edificios más altos: el Empire, de 102 pisos, el Chrysler... El teatro mayor, el *Radio City*, se llena desde las 7 de la mañana hasta la mañana siguiente. Los ríos se atraviesan por túneles subterráneos; en las ciudades hay tres, cuatro y más planos de locomoción... Poseen todos los récords: Velocidad, cuatro mil kilómetros en cuatro horas; producción, fábricas que producen quinientos automóviles por hora y esperan producir mil... Allí está hoy más del 46% del oro del mundo; progresos técnicos fantásticos: la muerte se va alejando, la vida prolongando. En Washington, cada tres minutos sale un avión: los grandes *Constellations* cruzan ahora todos los mares; millones de automóviles, de refrigeradores... Y como decía alguien: ¿y qué?

¿Y qué impresión de conjunto? Que la materia no basta, que la civilización no llena, que el confort está bien, pero que no reside en él la felicidad. ¡Que da demasiado poco y cobra demasiado caro!, ¡que a precio de esos juguetes se le quita al hombre su verdadera grandeza! Porque, en realidad, el precio de toda esta vida para la gran mayoría es un anularse aquí, el perder la vista del espíritu, la ceguera ante lo sobrenatural. La concepción del hombre progresista que domina la materia: limpio, higiénico, bien hecho por el deporte, alimentación sana, ropa limpia, música, auto, ¡y bonitos autos! Quizás para algunos, viajes alrededor del mundo, su casa cómoda, una mujer mientras se entienda con ella, sin prejuicios... Eliminar las enfermedades y a los setenta años morirse. ¿Qué más?

Y al volver de un viaje espléndido, en un barco de carga, lento, único pasajero, que me permitía orar, pensar, escribir... reflexionaba: ¿Y es esto todo?

Al mirar ese cielo espléndido, magnífico, imponente, que sobrecoge, me preguntaba: ¿y es esto todo el fin de la vida? ¿Setenta años con todas estas comodidades? El hombre es el rey de la creación ¿sólo por esto? El progreso de la humanidad, ¿será sólo llegar a poseer baño, radio, máquina de lavar, un auto? ¿Es ésta toda la grandeza del hombre? ¿No hay más que esto? ¿Es ésta la vida?, mientras llega la próxima guerra que todos la olfatean, que la sienten venir con escalofrío.

Empire, Chrysler: ¿cuánto tiempo más os alzaréis de pie? Fábricas Ford, Packard, Chrysler: ¿cuánto tiempo más alcanzaréis a durar? Einstein acaba de escribir, horrorizado ante una guerra atómica, que con los pobres medios de que ahora dispone la energía atómica, que sólo recién logra desintegrarse, ¡¡pueden perecer las dos terceras partes de la humanidad!! ¿Es esto la vida? ¿Es ésta la corona del hombre?

Y miro la noche plácida... serena... Las estrellas envían su luz serena... Y resuena en mis oídos: *"Así amó Dios al mundo que le dio a su Hijo unigénito"* (Jn 3,16). ¡Me amó a mí, también a mí! ¿Quién? ¡Dios! El Dios eterno, Creador de toda la energía, de los astros, de la tierra, del hombre, de las quizás dos mil generaciones de hombres que han pasado por la tierra, y millones que quizás aún han de venir... Ese Dios inmenso ante quien desaparece el hombrecito minúsculo. ¡Cuánto más grande es que el hombre!

¿Qué piensa Dios del hombre? ¿De la vida? ¿Del sentido de nuestra existencia? ¿Condena Él esos inventos, ese progreso, ese afán de descubrir medicinas eficaces, automóviles veloces, aviones contra todo riesgo? No. Al contrario, se alegra de esos esfuerzos que nos hacen mejor esta vida. Pero para los que en medio de tanto ruido guardan aún sus oídos para escuchar nos dice: *"Yo he venido para que tengan vida y la tengan en abundancia"*.

Oye, hijo: *"Yo"*. ¿Quién? "Yo", Jesús, Hijo de Dios y Dios verdadero. "Yo", el Dios eterno, *"he venido"*: he hecho un viaje... viaje real, larguísimo. De lo infinito a lo finito, viaje tan largo que escandaliza a los sabios, que desconcierta a los filósofos. ¡Lo infinito a lo finito!, ¡lo eterno a lo temporal! ¿Dios a la creatura? Sí, ¡así es! Ese viaje es mi viaje realísimo. *"Yo he venido"*: ¡Ése es mi viaje!

Por el hombre. La única razón de ese viaje: el hombre. ¿Ese minúsculo y mayúsculo? Porque si bien es pequeño, es muy grande; ¿es lo más grande del universo? ¿Mayor que los astros? Por ellos nunca he viajado, ¡ni menos sufrido! Por el hombre sí...

Por el hombre, quizás no me entiendes: Por ti negrito, por ti pobre japonés; por ti, chilenito de mis amores, por ti, liceano de Curicó. Yo no amo la masa; amo la persona: un hombre, una mujer... *"¡He venido"* por ti!

"Para que tengan vida". ¿Vida? Pero, ¿de qué vida se trata? La vida, la verdadera vida, la única que puede justificar un viaje de Dios es la vida divina: *"Para que nos llamemos y seamos hijos de Dios"* (1Jn 3,1). Nos llamemos, ¡¡y lo seamos de verdad!! No hace un viaje lejano el Dios eterno si no es para darnos un don de gran precio: Nada menos que su propia vida divina, la participación de su naturaleza que se nos da por la Gracia.

¿Creemos en esa vida? Hay católicos, como un compañero de viaje que me decía: *"¿Otra vida? No, pues, Padre, córtela"*. Hay católicos que nunca han pensado en esa vida... ¡Los más no se preocupan de ella! Prescinden. Y ésta es la única verdadera vida: Quien la tiene, vive; y quien no la tiene, aunque esté saludable, rico, sabio, con amigos: Es un muerto.

"¿De qué le aprovecha al hombre ganar el mundo entero, si arruina su alma?" (Mt 16,26). *"El que quiera salvar su vida la perderá y el que la perdiere por mí la hallará"* (Mc 8,35). ¡El viejo estribillo de la Iglesia! El único necesario, tan grande porque tan viejo, o mejor, tan viejo porque tan grande, ¡tan necesario, tan irreemplazable! El hombre, con toda la civilización, no ha podido apagar el eco de estas palabras, y si llega a apagarlas muere, no sólo a esa vida, sino aun a la propia vida humana.

"Y que la tengan en abundancia". Hay una vida pobrísima, que apenas es vida; vida pobre, de infidelidades a la gracia, sordera espiritual, falta de generosidad; y una vida rica, plena, fecunda,

generosa. A ésta nos llama Cristo. Es la santidad. Y Cristo quiere cristianos plenamente tales, que no cierren su alma a ninguna invitación de la Gracia, que se dejen poseer por ese torrente invasor, que se dejen tomar por Cristo, penetrar de Él. La vida es vida en la medida que se posee a Cristo, en la medida que se es Cristo. Por el conocimiento, por el amor, por el servicio.

¡Dios quiere hacer de mí un santo! Quiere tener santos estilo siglo XX: estilo Chile, estilo liceo, estilo abogado, pero que reflejen plenamente su vida. ¡Esto es lo más grande que hay en el mundo! Mayor, infinitamente mayor, que un Empire Building, que una fábrica Ford, que ocho mil automóviles de producción diaria; de inmenso más precio para la humanidad que descubrir la energía atómica, o la vacuna, o la penicilina.

Aquí no nos cabe sino decir como la Samaritana: *"Dame, Señor, a beber de esa agua para que no tenga más sed"* (Jn 4,15). O como Nicodemo: *"¿Cómo podré yo nacer de nuevo siendo viejo?"* (Jn 3,4). ¡Es don de Dios! pero don que Él me quiere conceder, pues *"Así amó Dios al mundo que nos dio a su Hijo Unigénito"* (Jn 3,16). Quien nos dio a su Hijo Unigénito, ¿qué nos irá a negar? (cf. Rm 8,32). Por Cristo, Nuestro Señor. Danos, Señor, vivir: Vivir plenamente. *"Y tan alta vida espero, que muero porque no muero"*.

¿Cómo llenar mi vida?

Conferencia para señoras en Viña del Mar, 1946

La enfermedad de moda en nuestros días es la neurosis. Una de las profesiones que más trabajo tiene es la de psiquiatra... Muchas personas que se creen atacadas por neurosis no tienen neurosis, sino vaciedad de vida: No tienen nada que hacer, nada que las saque de sí mismas; viven concentradas en su interior, siempre mirándose al espejo de su pensamiento: si están bien, si están mal; si las estiman o no; si la miraron, por qué; si no, por qué la dejaron de mirar... Castillos en el aire... sobre lo que los otros piensan de ella... La neurosis está a la puerta, la vida se tiñó para siempre de tristeza. ¡El egoísmo está en la raíz del mal! ¿Cómo curar esa neurosis? Antes de ir al psiquiatra, yo aconsejaría a esa persona que consultara a un Director Espiritual prudente. Puede que la raíz de su mal sea un complejo sepultado en su interior, desde sus primeros años, pero lo más probable es que sea simplemente una vida vacía, sin sentido; un alma que espera algo que la llene, que la tome, que le dé sentido a su existencia.

¡Es tan triste vegetar! ¡Ver que los años pasan y que no se ha hecho nada!, que nadie la mira con ojos agradecidos... que no tiene dónde volverse para encontrar amor.

El cristianismo en esta materia, como en las demás, no es sólo ley de santidad, sino también de salud espiritual y mental. Para algunos, la moral cristiana es un código sumamente complicado, largo, detallado, estrecho... que puede ser violado aun sin darse cuenta. Es un conjunto de leyes ordinariamente negativas: *no hagas esto, ni aquello...* ¿Cómo voy a poder llenar mi vida con negaciones?

Pero, felizmente, la verdad es muy distinta. El cristianismo no es un conjunto de prohibiciones, sino una gran afirmación... y no muchas, una: Amar. *"Dios es amor"* (1Jn 4,8), y la moral de quienes han sido creados *a imagen y semejanza de Dios,* es la moral del Amor. *"¿Cuál es el precepto más grande de la ley? Amarás... y el segundo, semejante al primero, es éste: y amarás a tú prójimo como a ti mismo"* (cf. Mt 22,37-39). Por eso, Bossuet, con su genio clarísimo podía decir: *"Seamos cristianos, esto es, amemos a nuestros hermanos"*.

La mejor manera de llenar la vida: llenarla de amor, y al hacerlo así no estamos sino cumpliendo el precepto del Maestro. Poco antes de partir de este mundo, al querer resumir toda su enseñanza en un precepto fundamental, nos encargó: *"Os doy un mandamiento nuevo: que os améis los unos a los otros... En esto conocerán todos que sois discípulos míos: si os tenéis amor los unos a los otros..."* (cf. Jn 13,34-35). ¡En esto, y sólo en esto, conocerá el mundo que sois mis discípulos!

Los primeros cristianos se preguntaban: –¿Cómo se salva a un hombre? –Amándolo, sufriendo con él, haciéndose uno con él, en el dolor, en su propio sufrimiento. No con discursos, que no cuesta nada pronunciarlos; con sermones que no cambian nuestras vidas; ¡sino con la evidente demostración del amor! *La Iglesia necesita no demostradores, sino testigos.*

Por eso es que creo que en los tiempos difíciles que nos aguardan, Dios en su inmensa misericordia va a suscitar espíritus nuevos. Yo no me extrañaría de ver una nueva Congregación religiosa vestida de overall, con voto de trabajar en las fábricas y de vivir en los conventillos para salvar al mundo; como hemos visto a las hermanitas de la Asunción y a las de la Santa Cruz darse enteras para la redención de los adoloridos. Y acabamos de leer una obra maravillosa de un sacerdote obrero, quien para salvar a sus hermanos expatriados se deporta, obrero como ellos...

Y entre todos los hombres, hay algunos a quienes Cristo nos recomienda en forma especial: a sus pobres. *"¿Quién es mi prójimo?"*, le pregunta un doctor de la ley a Jesús, y Él le contesta: *"Por el camino de Jericó bajaba un pobre hombre... medio muerto... Haz tú lo mismo"* (cf. Lc 15,29-37). Y hacer o no hacer estas obras de caridad con el prójimo es tan grave a los ojos de Dios que va a constituir la materia del juicio: *"Tuve hambre... tuve sed... estuve preso... No 'me' disteis... no 'me'..."* (cf. Mt 25,31-46). El prójimo, el pobre en especial, es Cristo en persona. *"Lo que hiciereis al menor de mis pequeñuelos a 'mí' lo hacéis"*. El pobre suplementero, el lustrabotas, la mujercita tuberculosa, es Cristo. El borracho... ¡no nos escandalicemos, es Cristo! ¡Insultarlo, burlarse de él, despreciarlo!, ¡es despreciar a Cristo! *¡¡Lo que hiciereis al menor, a mí lo hacéis!!* Esta es la razón del nombre "Hogar de Cristo".

Mucho se habla en estos días de orden social cristiano y con mucha razón. Orden que supone una legislación basada en el bien común, en la justicia social, pero orden que sólo será posible si los cristianos nos llenamos del deseo de amor, que se traducirá en dar. Menos palabras y más obras. El mundo moderno es antiintelectualista: cree en lo que ve, en los hechos.

Cuando los pobres ven, palpan su dolor y nos miran a nosotros cristianos, ¿qué tienen derecho a pedirnos? ¿A nosotros que creemos que Cristo vive en cada pobre? ¿Podrán aceptar nuestra fe si nos ven guardar todas las comodidades, y odiar al comunismo por lo que pretende quitarnos, más que por lo que tiene de ateo? ¿Cuál debe ser nuestra actitud?: ¡Sentido social!, servir, dar, amar. Llenar mi vida, de los otros.

Llegaba después de media noche, muy cansado, de sus salidas recogiendo niños vagos, para dejarlos bien instalados en el Hogar de Cristo. Luego, después de pasar un largo rato en la Capilla, en fervorosa oración, se retiraba a descansar, para levantarse muy temprano. Frecuentemente sucedía que pocas horas después de acostarse, lo llamaban por teléfono para atender algún enfermo grave. Nunca permitió que otro fuera en su lugar, sino que se levantaba y salía sin demora (P. Oscar Contreras, s.j.).

Siempre en contacto con Dios

Reflexión personal, noviembre de 1947

El gran apóstol no es el activista, sino el que guarda en todo momento su vida bajo el impulso divino. Cada una de nuestras acciones tiene un momento divino, una duración divina, una intensidad divina, etapas divinas, término divino. Dios comienza, Dios acompaña, Dios termina. Nuestra obra, cuando es perfecta, es a la vez toda suya y toda mía. Si es imperfecta, es porque nosotros hemos puesto nuestras deficiencias, es porque no hemos guardado el contacto con Dios durante toda la duración de la obra, es porque hemos marchado más aprisa o más despacio que Dios. Nuestra actividad no es plenamente fecunda, sino en la sumisión perfecta al ritmo divino, en una sincronización total de mi voluntad con la de Dios.

Sería peligroso, sin embargo, bajo el pretexto de guardar el contacto con Dios, refugiarnos en una pereza soñolienta. Entra en el plan de Dios ser estrujados... La caridad nos urge de tal manera que no podemos rechazar el trabajo: consolar un triste, ayudar un pobre, un enfermo que visitar, un favor que agradecer, una conferencia que dar; dar un aviso, hacer una diligencia, escribir un artículo, organizar una obra; y todo esto añadido a los deberes cotidianos. Si alguien ha comenzado a vivir para Dios en abnegación y amor a los demás, todas las miserias se darán cita en su puerta. Si alguien ha tenido éxito en el apostolado, las ocasiones de apostolado se multiplicarán para él. Si alguien ha llevado bien las responsabilidades ordinarias, ha de estar preparado para aceptar las mayores. Así, nuestra vida y el celo apostólico nos echan a una marcha rápidamente acelerada que nos desgasta, sobre todo porque no nos da el tiempo para reparar nuestras fuerzas físicas o espirituales... y un día llega en que la máquina se rompe. Y donde nosotros creíamos ser indispensables, ¡¡se pone otro en nuestro lugar!!

Con todo, ¿podíamos rehusar?, ¿no era la caridad de Cristo la que nos urgía? Y, darse a los hermanos, ¿no es acaso darse a

Cristo? Mientras más amor hay, más se sufre: Aun rehusándonos a mil ofrecimientos, queda uno desbordado y no nos queda el tiempo de encontrarnos a nosotros mismos y de encontrar a Dios. Doloroso conflicto de una doble búsqueda: la del plan de Dios, que hemos de realizar en nuestros hermanos; y la búsqueda del mismo Dios, que deseamos contemplar y amar. Conflicto doloroso que no puede resolverse sino en la caridad que es indivisible.

Si uno quiere guardar celosamente sus horas de paz, de dulce oración, de lectura espiritual, de oración tranquila... temo que seríamos egoístas, servidores infieles. *La caridad de Cristo nos urge*: ella nos obliga a entregarle, acto por acto, toda nuestra actividad, a hacernos todo a todos (cf. 2Cor 5,14; 1Cor 9,22). ¿Podremos seguir nuestro camino tranquilamente cada vez que encontramos un agonizante en el camino, para el cual somos "el único prójimo"?

Pero, con todo, orar, orar. Cristo se retiraba con frecuencia al monte; antes de comenzar su ministerio se escapó cuarenta días al desierto. Cristo tenía claro todo el plan divino, y no realizó sino una parte; quería salvar a todos los hombres y, sin embargo, no vivió entre ellos sino tres años. Cristo no tenía necesidad de reflexionar para cumplir la voluntad del Padre: Conocía todo el plan de Dios, el conjunto y cada uno de sus detalles. Y, sin embargo, se retiraba a orar. Él quería dar a su Padre un homenaje puro de todo su tiempo, ocuparse de Él sólo, para alabarlo a Él sólo, y devolverle todo. Quería, delante de su Padre, en el silencio y en la soledad, reunir en su corazón misericordioso toda la miseria humana para hacerla más y más suya, para sentirse oprimido, para llorarla. Cristo no se dejó arrastrar por la acción. Él, que tenía como nadie el deseo ardiente de la salvación de sus hermanos, se recogía y oraba. Nuestros planes, que deben ser partes del plan de Dios, deben cada día ser revisados y corregidos.

Después de la acción hay que volver continuamente a la oración, para encontrarse a sí mismo y encontrar a Dios; para darse cuenta, sin pasión, si en verdad caminamos en el camino divino; para escuchar de nuevo el llamado del Padre; para sintonizar con las ondas divinas; para desplegar las velas, según el soplo del Espíritu. Nuestros planes de apostolado necesitan control, y tanto mayor mientras somos más generosos. ¡Cuántas veces queremos abrazar demasiado!, ¡más de lo que pueden contener nuestros brazos!

Para guardar el contacto con Dios, para mantenerse siempre bajo el impulso del Espíritu, para no construir sino según el deseo de Cristo, hay que imponer periódicamente restricciones a su programa de apostolado. La acción llega a ser dañina cuando rompe la unión con Dios. No se trata de la unión sensible, pero sí de la unión verdadera, la fidelidad, hasta en los detalles, al querer divino. El equilibrio de las vidas apostólicas sólo puede obtenerse en la oración. Los santos guardan el equilibrio perfecto entre una oración y una acción que se compenetran hasta no poder separarse, pero todos ellos se han impuesto horas, días, meses en que se entregan a la santa contemplación.

Esta vida de oración ha de llevar, pues, al alma naturalmente a entregarse a Dios, al don completo de sí misma. Muchos pierden años y años en trampear a Dios. La mayor parte de los directores espirituales no insisten bastante en el don completo. Dejan al alma en ese trato mediocre con Dios: piden y ofrecen, prácticas piadosas, oraciones complicadas. Esto no basta para vaciar al alma de sí misma, eso no la llena, no le da sus dimensiones, no la inunda de Dios. No hay más que el amor total que dilate al alma a su propia medida. Es por el don de sí mismo que hay que comenzar, continuar, terminar.

Darse, es cumplir justicia; darse, es ofrecerse a sí mismo y todo lo que se tiene; darse, es orientar todas sus capacidades de acción hacia el Señor; darse, es dilatar su corazón y dirigir firmemente su voluntad hacia el que los aguarda; darse, es amar para siempre y de manera tan completa como se es capaz. Cuando uno se ha dado, todo aparece simple. Se ha encontrado la libertad y se experimenta toda la verdad de la palabra de San Agustín: *"Ama y haz lo que quieras"*.

Un joven jesuita viajó a Santiago con muchos encargos. Al llegar se encontró con el Padre Hurtado y le pidió la camioneta. Él sacó las llaves del bolsillo y le dijo: 'encantado, patroncito'. Apenas partió el joven en la camioneta, el Padre Hurtado salió a hacer sus numerosas diligencias en micro. Este detalle muestra su caridad espontánea (P. Oscar Larraín, s.j.).

Un testimonio

Reflexión autobiográfica, noviembre de 1947

He encontrado en mi camino uno de esos apóstoles ardientes, siempre alegre a pesar de sus fatigas y de sus fracasos. Le he preguntado el secreto de su vida. Un poco sorprendido me ha abierto su alma. He aquí su secreto:

"Usted me pregunta cómo se equilibra mi vida, yo también me lo pregunto. Estoy cada día más y más comido por el trabajo: correspondencia, teléfono, artículos, visitas; el engranaje terrible de las ocupaciones, congresos, semanas de estudios, conferencias prometidas por debilidad, por no decir "no", o por no dejar esta ocasión de hacer el bien; presupuestos que cubrir; resoluciones que es necesario tomar ante acontecimientos imprevistos. La carrera a ver quién llegará el primero en tal apostolado urgente. Soy con frecuencia como una roca golpeada por todos lados por las olas que suben. No queda más escapada que por arriba. Durante una hora, durante un día, dejo que las olas azoten la roca; no miro el horizonte, sólo miro hacia arriba, hacia Dios.

¡Oh bendita vida activa, toda consagrada a mi Dios, toda entregada a los hombres, y cuyo exceso mismo me conduce para encontrarme a dirigirme hacia Dios! Él es la sola salida posible en mis preocupaciones, mi único refugio.

Las horas negras vienen también. La atención tiranteada continuamente en tantas direcciones, llega un momento en que no puede más: el cuerpo ya no acompaña la voluntad. Muchas veces ha obedecido, pero ahora ya no puede... La cabeza está vacía y adolorida, las ideas no se unen, la imaginación no trabaja, la memoria está como desprovista de recuerdos. ¿Quién no ha conocido estas horas?

No hay más que resignarse: durante algunos días, algunos meses, quizás algunos años, a detenerse. Ponerse testarudo sería inútil: se impone la capitulación; y entonces, como en todos los momentos difíciles, me escapo a Dios, le entrego todo mi ser y mi querer a su providencia de Padre, a pesar de no tener fuerzas ni siquiera para hablarle.

¡Ah, y cómo he comprendido su bondad aun en estos momentos! En mi trabajo de cada día, era a Él a quien yo buscaba, pero me parece que aunque mi vida le estaba entregada, yo no vivía bastante para Él... ahora sí... en mis días de sufrimiento, yo no tengo más que a Él delante de mis ojos, a Él solo, en mi agotamiento y en mi impotencia.

Nuevos dolores en mis horas de impotencia me aguardan. Las obras, a las que me he entregado, gravemente amenazadas; mis colaboradores, agotados ellos también, a fuerza de trabajo; los que deberían ayudarnos redoblan su incomprensión; nuestros amigos nos dan vuelta las espaldas o se desalientan; las masas que nos habían dado su confianza, nos la retiran; nuestros enemigos se yerguen victoriosamente contra nosotros; la situación es como desesperada; el materialismo triunfa, todos nuestros proyectos de trabajo por Cristo yacen por tierra.

¿Nos habíamos engañado? ¿No hemos sido trabajadores de Cristo? ¿La Iglesia de nuestro tiempo, al menos en nuestra Patria, resistirá a tantos golpes? Pero la fe dirige todavía mi mirada hacia Dios. Rodeado de tinieblas, me escapo más totalmente hacia la luz.

En Dios me siento lleno de una esperanza casi infinita. Mis preocupaciones se disipan. Se las abandono. Yo me abandono todo entero entre sus manos. Soy de Él y Él tiene cuidado de todo, y de mí mismo. Mi alma por fin reaparece tranquila y serena. Las inquietudes de ayer, las mil preocupaciones porque 'venga a nosotros su Reino', y aun el gran tormento de hace pocos momentos ante el temor del triunfo de sus enemigos... todo deja sitio a la tranquilidad en Dios, poseído inefablemente en lo más espiritual de mi alma. Dios, la roca inmóvil, contra la cual se rompen en vano todas las olas; Dios, el perfecto resplandor que ninguna mancha empaña; Dios, el triunfador definitivo, está en mí. Yo lo alcanzo con plenitud al término de mi amor. Toda mi alma está en Él, durante un minuto, como arrebatada en Él. Estoy bañado de su luz. Me penetra con su fuerza. Me ama.

Yo no sería nada sin Él. Simplemente yo no sería. El optimismo que, en esos días del triunfo del mal, me había abandonado, ha vuelto. La Iglesia triunfa en cada uno de sus hijos. La Iglesia de Dios se establece y triunfa, por el trabajo heroico de sus santos; por la plegaria de sus contemplativas; por la aceptación de las madres a la obra de la naturaleza, y que van a realizar en su hogar la obra de la ternura y de la fe; por la educación del que enseña y por la docilidad del que escucha. Por las horas de fábrica, de navegación, de campo al sol y a la lluvia; por el trabajo de padre que cumple así su deber cotidiano. Por la resistencia del patrón, del político o del dirigente de sindicato a las tentaciones del dinero, al acto deshonesto que enriquece; por el sacrificio de la viuda tuberculosa que deja niñitos chicos y se une con amor a Cristo crucificado; por la energía del miembro de la Juventud Obrera Católica que sabe permanecer alegre y puro en medio de egoístas y corrompidos; por la limosna del pobre que da lo necesario... La Iglesia, en todo momento, se construye y triunfa.

No, no es la hora de desesperar. Dios se sirve aun de sus enemigos para establecer su Reino. Su voluntad no es totalmente mala, su razón no está totalmente oscurecida. Cuando ven y quieren el bien, lo que ciertamente hacen, construyen también con nosotros, son instrumentos de Dios.

Para el cristiano, la situación no es jamás desesperada. Por la luz que recibimos de lo alto, por el don que cada uno hace de sí, construimos la Iglesia. Su triunfo no se obtendrá sino después de rudos combates".

Hasta aquí mi amigo. Se calla, como avergonzado de haberse abierto tan profundamente. Siento que no tiene más que decirme, pero he comprendido su lección: Si lo encuentro siempre alegre, siempre valiente, no es porque le falten dificultades, sino porque en medio de ellas sabe siempre escaparse hacia Dios. Su sonrisa y su optimismo, vienen del cielo.

Tenía la costumbre de no irse nunca a dormir sin haber rezado el rosario. 'A cualquier hora que termine, rezo primero el rosario antes de acostarme'. En la casa de Retiros, yo lo vi a veces empezar el rosario a la una de la mañana (P. Arturo Gaete, s.j.).

"Ustedes son la luz del mundo"

Discurso en el Cerro San Cristóbal, 1938

Mis queridos jóvenes:

La impresionante ceremonia que se realiza esta noche está llena del más hondo significado. En lo alto de un cerro, bajo las miradas de nuestro Padre Dios y protegidos por el manto maternal de María, que eleva sus manos abiertas a lo alto intercediendo por nosotros, se reúne, caldeada de entusiasmo, una juventud ardiente, portadora de antorchas brillantes, llena el alma de fuego y de amor, mientras a los pies la gran ciudad yace en el silencio pavoroso de la noche.

Esta escena me recuerda otra, ocurrida hace casi dos mil años, también sobre un monte al caer las tinieblas de la noche... En lo alto, Jesús y sus apóstoles, a los pies una gran muchedumbre, y más allá las regiones sepultadas en las tinieblas y en la oscuridad de la noche del espíritu (cf. Sal 106,10). Y Jesús conmovido profundamente ante el pavoroso espectáculo de las almas sin luz, les dice a sus apóstoles *"Ustedes son la luz del mundo"* (Mt 5,14). Ustedes son los encargados de iluminar esa noche de las almas, de caldearlas, de transformar ese calor en vida, vida nueva, vida pura, vida eterna...

También a ustedes, jóvenes queridísimos, Jesús les muestra ahora esa ciudad que yace a sus pies, y, como entonces, se compadece de ella: *"Tengo compasión de la muchedumbre"* (Mc 8,2). Mientras ustedes –muchos, pero demasiado pocos a la vez– se han dado cita de amor en lo alto... ¡Cuántos, cuántos... a estas mismas horas ensucian sus almas, crucifican de nuevo a Cristo en sus corazones, en los sitios de placer, desbordantes de una juventud decrépita, sin ideales, sin entusiasmo, ansiosa únicamente de gozar, aunque sea a costa de la muerte de sus almas...! Si Jesús apareciese en estos momentos en medio de nosotros, extendiendo compasivo su mirada y sus manos sobre Santiago y sobre Chile, les diría: *"Tengo compasión de esa muchedumbre..."* (Mc 8,2).

Allí, a nuestros pies, yace una muchedumbre inmensa que no conoce a Cristo, que ha sido educada durante años y años sin oír apenas nunca pronunciar el nombre de Dios, ni el santo nombre de Jesús.

Yo no dudo, pues, que si Cristo descendiese al San Cristóbal esta noche caldeada de emoción les repetiría mirando la ciudad oscura: *"Me compadezco de ella"*, y volviéndose a ustedes les diría con ternura infinita: *"Ustedes son la luz del mundo... Ustedes son los que deben alumbrar estas tinieblas. ¿Quieren colaborar conmigo? ¿Quieren ser mis apóstoles?"*.

Este es el llamado ardiente que dirige el Maestro a los jóvenes de hoy. ¡Oh, si se decidiesen! Aunque fuesen pocos... Un reducido número de operarios inteligentes y decididos, podrían influir en la salvación de nuestra Patria... Pero, ¡qué difícil resulta en algunas partes encontrar aun ese reducido número! La mayoría se quedan en sus placeres, en sus negocios... Cambiar de vida, consagrarla al trabajo para la salvación de las almas, no se puede, no se quiere...

¡Cuántos son llamados por Cristo en estos años de vuelo magnífico de la juventud! Escuchan, parecen dudar unos instantes. Pero el torrente de la vida los arrastra. Pero ustedes, mis queridos jóvenes, han respondido a Cristo que quieren ser de esos escogidos, quieren ser apóstoles... Pero ser apóstoles no significa llevar una insignia en el ojal de la chaqueta; no significa hablar de la verdad, sino vivirla, encarnarse en ella, transformarse en Cristo. Ser apóstol no es llevar una antorcha en la mano, poseer la luz, sino ser la luz...

El Evangelio más que una lección es un ejemplo. Es el mensaje convertido en vida viviente. *"El Verbo se hizo carne"* (Jn 1,14). *"Lo que fue desde el principio, lo que oímos, lo que vimos con nuestros ojos y contemplamos, y palpamos con nuestras manos, es lo que os anunciamos"* (1Jn 1,1-3). El Verbo, el Mensaje divino, se ha encarnado: la Vida se ha manifestado. Debemos ser semejantes a cristales puros, para que la luz se irradie a través de nosotros. *"Vosotros, los que veis, ¿qué habéis hecho de la luz?"* (Claudel).

Una vida íntegramente cristiana, mis queridos jóvenes, he ahí la única manera de irradiar a Cristo. Vida cristiana, por tanto, en vuestro hogar; vida cristiana con los pobres que nos rodean; vida cristiana con sus compañeros; vida cristiana en el trato con las jóvenes... Vida cristiana en vuestra profesión; vida cristiana en el cine, en el baile, en el deporte.

El cristianismo, o es una vida entera de donación, una transformación en Cristo, o es una ridícula parodia que mueve a risa y a desprecio.

Y esta transformación en Cristo supone identificarse con el Maestro, aun en sus horas de Calvario. No puede, por tanto, ser apóstol el que por lo menos algunos momentos no está crucificado como Cristo. Nada harán, por lo tanto, los que hagan consistir únicamente el apostolado, la Acción Católica, en un deporte de discursos y manifestaciones grandiosas... Muy bien están los actos, pero ellos no son la coronación de la obra, sino su comienzo, un cobrar entusiasmo, un animarnos mutuamente a acompañar a Cristo aun en las horas duras de su Pasión, a subir con Él a la cruz.

Antes de bajar del monte, jóvenes queridos, les pregunto también en nombre de Cristo: ¿Pueden beber el cáliz de las amarguras del apostolado? ¿Pueden acompañar a Jesús en sus dolores, en el tedio de una obra continuada con perseverancia? ¿Pueden? Si ustedes titubean, si no se sienten con bríos para no ser de la masa, de esa masa amorfa y mediocre, si como el joven del Evangelio sienten tristeza de los sacrificios que Cristo les pide... renuncien al hermoso título de colaborador y amigo de Cristo.

¡Oh, Señor!, si en esta multitud que se agrupa a tus pies brotase en algunos la llama de un deseo generoso y dijera alguno con verdad: *"Señor, toma y recibe toda mi libertad, mi memoria, mi entendimiento, toda mi voluntad, todo lo que tengo y poseo, lo consagro todo entero, Señor, a trabajar por ti, a irradiar tu vida, contento con no tener otra paga que servirte y, como esas antorchas, que se consumen en nuestras manos, consumirse por Cristo..."*. Renovarían en Chile las maravillas que realizaron los apóstoles en la sociedad pagana, que conquistaron para Jesús.

Se preocupaba mucho por la limpieza de los objetos sagrados. La Misa del Padre era profundamente recogida y penetrada del misterio de Dios. Me tocó estar con una persona, no creyente, que asistió a una Misa del Padre Hurtado y con lágrimas en los ojos me decía: '¡Qué ganas de creer!' (Marta Holley).

¡Mi vida es una Misa prolongada!

Meditación sobre la Sagrada Eucaristía

I. La Eucaristía como sacrificio

El sacrificio eucarístico es la renovación del sacrificio de la cruz. Como en la cruz todos estábamos incorporados en Cristo, de igual manera en el sacrificio eucarístico, todos somos inmolados en Cristo y con Cristo.

De dos maneras puede hacerse esta actualización. La primera es ofrecer, como nuestra, al Padre celestial, la inmolación de Jesucristo, por lo mismo que también es nuestra inmolación. La segunda manera, más práctica, consiste en aportar al sacrificio eucarístico nuestras propias inmolaciones personales, ofreciendo nuestros trabajos y dificultades, sacrificando nuestras malas inclinaciones, crucificando con Cristo nuestro hombre viejo. Con esto, al participar personalmente en el estado de víctima de Jesucristo, nos transformamos en la Víctima divina.

Como el pan se transubstancia realmente en el cuerpo de Cristo, así todos los fieles nos transubstanciamos espiritualmente con Jesucristo Víctima. Con esto, nuestras inmolaciones personales son elevadas a ser inmolaciones eucarísticas de Jesucristo, quien, como Cabeza, asume y hace propias las inmolaciones de sus miembros.

¡Qué horizontes se abren aquí a la vida cristiana! La Misa centro de todo el día y de toda la vida. Con la mira puesta en el sacrificio eucarístico, ir siempre atesorando sacrificios que consumar y ofrecer en la Misa.

Hacer de la Misa el centro de mi vida. Prepararme a ella con mi vida interior, mis sacrificios, que serán hostia de ofrecimiento; prolongarla durante el día, dejándome partir y dándome... en unión con Cristo.

¡Mi Misa es mi vida, y mi vida es una Misa prolongada!

II. La Eucaristía es centro de la vida cristiana

Por la Eucaristía tenemos la Iglesia y por la Iglesia llegamos a Dios. Cada hombre se salvará no por sí mismo, no por sus propios méritos, sino por la sociedad en la que vive, por la Iglesia, fuente de todos sus bienes. Sin la Eucaristía, la Iglesia de la tierra estaría sin Cristo. La razón y los sentidos nada ven en la Eucaristía, sino pan y vino, pero la fe nos garantiza la infalible certeza de la revelación divina; las palabras de Jesús son claras: *"Este es mi Cuerpo, esta es mi Sangre"* y la Iglesia las entiende al pie de la letra y no como puros símbolos.

Con toda nuestra mente, con todas nuestras fuerzas, los católicos creemos que *"el cuerpo, la sangre y la divinidad del Verbo Encarnado"* están real y verdaderamente presentes en el altar en virtud de la omnipotencia de Dios.

El Cristo Eucarístico se identifica con el Cristo de la historia y el de la eternidad. No hay dos Cristos sino uno solo. Nosotros poseemos en la Hostia al Cristo del sermón de la montaña, al Cristo de la Magdalena, al que descansa junto al pozo de Jacob con la samaritana, al Cristo del Tabor y de Getsemaní, al Cristo resucitado de entre los muertos y sentado a la diestra del Padre. No es un Cristo el que posee la Iglesia de la tierra y otro el que contemplan los bienaventurados en el cielo: ¡una sola Iglesia, un solo Cristo!

Esta maravillosa presencia de Cristo en medio de nosotros, debería revolucionar nuestra vida. No tenemos nada que envidiar a los apóstoles y a los discípulos de Jesús que andaban con Él en Judea y en Galilea. Todavía está aquí con nosotros. En cada ciudad, en cada pueblo, en cada uno de nuestros templos; nos visita en nuestras casas, lo lleva el sacerdote sobre su pecho, lo recibimos cada vez que nos acercamos al sacramento del Altar.

Un alma permanece superficial mientras que no ha sufrido. En el misterio de Cristo existen profundidades divinas donde no penetran por afinidad sino las almas crucificadas. La auténtica santidad se consuma siempre en la cruz.

El que quiere comulgar con provecho, que ofrezca cada mañana una gota de su propia sangre para el cáliz de la redención.

La muerte

El significado cristiano de la muerte

La vida del hombre oscila entre dos polos: La adoración de Dios o la adoración de su "yo"; el servicio de Dios o la lucha contra Dios. Para apreciar los verdaderos valores en juego en esta contienda, nada más útil que meditar en la muerte, lo que no quiere decir contemplación terrorífica, sino por el contrario, visión de aliento y esperanza. Hay dos maneras de mirar la muerte: una puramente humana y otra cristiana.

1. *El concepto humano* considera la muerte como el gran derrumbe, el fin de todo. Es un concepto impregnado de tristeza (los filósofos estoicos se suicidaban para ser plenamente dueños de su fin como querían serlo de su vida). Desde los primeros tiempos el hombre ha sentido pavor ante la muerte. Nadie la conoce por experiencia propia y de los que han pasado por ella ni uno ha vuelto a decirnos lo que es: ha entrado en un eterno silencio.

La muerte va ordinariamente precedida de una dolorosa enfermedad, acompañada de una impotencia creciente, que llega a ser total. Los que rodean al moribundo contemplan, en completa pasividad, cómo ese ser querido es arrastrado al inevitable abismo. Cuando queremos seguirlo con la mirada nos parece que la nada lo hubiera devorado.

Cuando vivimos no parecemos tan solos frente a Dios. Hay otros seres que, aunque débiles, nos ofrecen refugio para escondernos; pero en el momento de la muerte no queda ya donde ocultarse: el alma es arrancada y arrojada a la llanura infinita donde no quedan más que ella y su Dios.

2. *El concepto cristiano* de la muerte es inmensamente más rico y consolador: la muerte para el cristiano es el momento de hallar a Dios, a Dios a quien ha buscado durante toda su vida. La muerte para el cristiano es el encuentro del Hijo con el Padre; es la inteligencia que halla la suprema verdad, es la inteligencia que se apodera del sumo Bien. La muerte no es muerte.

Lo veremos a Él, cara a cara, a Él, nuestro Dios, que hoy está escondido. Veremos a su Madre, nuestra dulce Madre, la Virgen María. Veremos a sus santos, sus amigos que serán también nuestros amigos; hallaremos nuestros padres y parientes, y aquellos seres cuya partida nos precedió. En la vida terrestre no pudimos penetrar en lo íntimo de sus corazones, pero en la Gloria nos veremos sin oscuridades ni incomprensiones. Muchos se preguntan si en la otra vida conoceremos a los seres queridos. Conociendo la manera de obrar de Dios, ¿no sería una burla extraña en su proceder la de poner en nuestros corazones un amor inmenso, ardiente hacia seres que para nosotros son más que nosotros mismos, si ese amor estuviese llamado a desaparecer con la muerte? Todo lo nuestro nos acompañará en el más allá. Dios no rompe los vínculos que ha creado. Pero, por encima de todo, el gran don del cielo es estar presentes ante Dios. ¡Qué más puedo necesitar!

¿Cuál será la sorpresa y la alegría del cristiano al terminar su vida terrena y ver que su prueba ha terminado? Los dolores pasaron, y ha llegado aquello por lo cual luchó y se sacrificó. ¡Qué precio tan barato por una Gloria eterna! Algunos años difíciles. ¡Pero qué cortos fueron! ¡Qué cosa tan despreciable es la vida humana mirada en sí misma! ¡Qué grande si se considera en sus efectos eternos! ¡Es como una semillita pequeña y barata que germina y madura para la eternidad! Esta vida es preciosa en cuanto nos revela, en sus sombras y figuras, la existencia y los atributos del Dios Todopoderoso; es preciosa porque nos permite tratar con almas inmortales que están como nosotros en la prueba; es preciosa porque nos permite ayudarlas a conocer a Cristo y nos permite remover los obstáculos que el mundo ofrece a la gracia.

¿Dolores? En esta vida tendremos dolores, pero los dolores no son sólo castigo, como tampoco morir es sólo castigo. Es bello poder sufrir por Cristo. Él sufrió primero por nosotros. Bajó del Cielo a la tierra a buscar lo único que en el Cielo no encontraba: el dolor, y lo tomó sin medida por amor al hombre. Lo tomó en su alma, lo tomó en su imaginación, en su corazón, en su cuerpo y en su espíritu, porque *"me amó a mí, también a mí, y se entregó a la muerte por mí"* (cf. Gál 2,20). Después de Él, María, su Madre y mi Madre, es Reina del Cielo porque amó y sufrió.

La vida ha sido dada al hombre para cooperar con Dios, para realizar su plan; la muerte es el complemento de esa colaboración, pues es la entrega de todos nuestros poderes en manos del Creador. Que cada día sea como la preparación de mi muerte entregándome minuto a minuto a la obra de cooperación que Dios me pide, cumpliendo mi misión, la que Dios espera de mí, la que no puedo hacer sino yo.

La muerte es la gran consejera del hombre. Ella nos muestra lo esencial de la vida, como el árbol en el invierno, una vez despojado de sus hojas, muestra el tronco. Cada día vamos muriendo, como las aguas van acercándose, minuto a minuto, al mar que las ha de recibir. Que nuestra muerte cotidiana sea la que ilumine nuestras grandes determinaciones: a su luz, qué claras aparecerán las resoluciones que hemos de tomar, los sacrificios que hemos de aceptar, la perfección que hemos de abrazar.

El gran estímulo para la vida y para luchar en ella, es la muerte: motivo poderoso para darme a Dios por Dios. Y mientras el pagano nada emprende por temor a la muerte, el cristiano se apresura a trabajar porque su tiempo es breve, porque falta tan poco para presentarse a Aquel que se lo dio todo, a Aquel al que él ama más que a sí mismo. ¡Apúrate alma, haz algo grande y bello que pronto has de morir! ¡Hazlo hoy, y no mañana, que hoy puede venir Él a tomar tu alma! Si comprendemos así la muerte, entenderemos perfectamente que, para el cristiano, su meditación no le inspira temor, antes al contrario, alegría, la única auténtica alegría.

Hermanos, creo que la meditación de la muerte no ha sido para nosotros una meditación de pavor sino de consuelo. ¿Por qué temerla? ¿Por qué asustarnos de abandonar este mundo engañoso, los que hemos sido bautizados para el otro mundo? ¿Por qué estar ansiosos de una larga vida, de riquezas, honores y comodidades, los que sabemos que el cielo será cuanto deseamos de mejor, y no solamente en apariencia sino en verdad, y para siempre? ¿Por qué descansar en este mundo cuando no es más que la imagen, el símbolo del otro verdadero? ¿Por qué contentarnos con la superficie en lugar de apropiarnos del tesoro que encierra?

Para los que tienen fe cada cosa que ven les habla del otro mundo; las bellezas de la naturaleza, el sol, la luna, todo es como figura que nos da testimonio de la invisible belleza de Dios. Todo lo que vemos está destinado a florecer un día y está destinado a ser Gloria inmortal.

El cielo está hoy fuera de nuestra vista, pero lo veremos, y así como la nieve se derrite y muestra lo que oculta, así la creación visible se deshará ante los grandes esplendores que la dominan. Ese día las nubes desaparecerán; el sol palidecerá ante la luz del cual él no es más que imagen, el Sol de justicia, quien vendrá en forma visible, *"como el Esposo que sale de su alcoba"* (Sal 19,6). Estos pensamientos nos deben hacer decir ardientemente: *"Ven, Señor, Jesús"* (Apoc 22,20).

Una competencia en darse

Prédica de matrimonio

Mis queridos esposos:

Quisiera tomar como tema, de las cortas palabras que quería dirigiros ahora, el deseo de la felicidad cristiana. Todo el cristianismo no es más que un mensaje de felicidad. Y si recordáis el sermón de la montaña que juntos, sin duda, habéis leído tantas veces, encontraréis en él estas palabras hermosísimas de Cristo Nuestro Señor, con que lo inicia. Bienaventurados es la palabra que repite. No se cansa el Señor de repetirnos en ese sermón lo que Él viene a traer a la tierra: Bienaventuranza, paz, felicidad, alegría. ¡Ése es todo el mensaje cristiano!

Y si miramos la vida de la Iglesia, que es la realización del mensaje de Cristo, no es más que la introducción del hombre a la felicidad divina. El Bautismo nos hace hijos de Dios y nos introduce en la vida divina, porque nos hace participar de esa vida de Dios; la Eucaristía, cuya fiesta celebramos hoy, no es más que la participación del alma en el Cuerpo y Sangre de Cristo para unirnos más íntimamente con Él; y todos los sacramentos tienen ese sentido: preparar el alma a la unión con Dios, fuente de toda felicidad.

¿Y en qué consiste la felicidad, mis queridos esposos? El Señor Jesús nos da la norma de la felicidad cristiana: La felicidad cristiana consiste en darse. Y por eso Jesús nos dice *'feliz es el que da, más feliz que el que recibe'* (cf. Hech 20,35). Y si miramos a Dios, fuente de toda felicidad, Dios es el que da. Miremos la vida íntima de la Santísima Trinidad: el Padre, que es fuente de todo ser y de toda alegría, da su propio ser a su Hijo, engendrándolo desde toda la eternidad; y el Padre y el Hijo, que se conocen, se dan mutuamente en un amor eterno, que es el Espíritu Santo. He ahí la fuente de toda felicidad.

Y ese Dios riquísimo en su soledad, acompañado en su soledad, que es la Trinidad, todavía no se satisface con esa donación mutua de las personas, y se resuelve a crear, y crea el mundo por amor. Y todo cuanto vemos no es más que la donación de Dios, nosotros mismos somos una donación de Dios, y el mundo entero es una donación que Dios nos da.

Y esta ley de la felicidad, mis queridos esposos, es la ley de la alegría cristiana en el matrimonio, y por eso os doy la norma consiguiente: daros, mutuamente, el uno al otro. El matrimonio cristiano es una competencia en darse.

La felicidad tiene una sola norma: Darse, entregarse a sí mismo, y por eso si en vuestra vida ocurre, lo que en toda vida humana ocurre, por más bella que sea, por más noble y más generosa, si alguna vez viene alguna nubecita a enturbiar el sol del amor, que os apresuréis a ser el primero en dar al otro el perdón, en sufrir por el otro, en orar juntos, en la noche, al caer las luces del día, recogidos en una plegaria, y los sufrimientos del día, ponerlos a los pies de Cristo, especialmente deseando la felicidad para el ser amado.

Mis queridos esposos: en un hogar cristiano, en un hogar bendecido por la felicidad cristiana, los hijos son deseados, los hijos son pedidos, los hijos son esperados, y por los hijos desde ahora se sufre, desde ahora se acumula para ellos un tesoro, más que de bienes materiales, un tesoro de virtudes, un tesoro de gracias, un tesoro de plegarias, para que cuando ellos lleguen a este mundo se encuentren ricos, con la riqueza espiritual de sus padres. Y los hijos, por muchos que sean los que Dios quiera daros, estoy cierto, mis queridos esposos, que no van a agotar ese deseo de daros que vosotros tenéis.

Y más allá de vuestro hogar, están los que en vuestra vida de solteros tanto habéis amado, los pobres, los que sufren, los que padecen; el bien común, la patria. Empresas todas que en vuestra vida de casados no han de cesar, mis queridos esposos, sino que, al contrario, habéis de ser más fuertes y más generosos en prolongar hacia esas obras vuestros esfuerzos. No vais a estar solos, ahora, para trabajar sino que vais a estar acompañados; y si la tarea es difícil, y si la tarea es ingrata, y a momentos descorazonadora, tenéis ahora una nueva fuerza en vuestro mutuo amor. Una nueva fuerza la tendréis en esos hijos que han de venir también a sosteneros en esas empresas, para bien de los demás, porque les vais a legar a ellos esa tradición preciosa de una vida que no se consume egoístamente en las paredes del hogar, sino que pretende únicamente darse como Dios. Os decía al principio, Dios se da, Dios es donación permanente.

Mis queridos esposos: en vuestra vida de solteros hay algo que os ha siempre animado, que sea lo mismo que os anime en vuestra vida de casados: Jesús, el ejemplo del darse. Leed juntos las páginas del Evangelio, no dejéis jamás de leerlas. Ojalá que desde vuestra primera noche de matrimonio, las leáis juntos. Esas páginas hermosas, en las cuales encontraréis el ejemplo de la vida de Dios, *que tanto amó al mundo que nos dio a su Hijo Unigénito* (cf. Jn 3,16); y después, ese Hijo Unigénito de Dios en la tierra, ¿qué hizo si no dar a los hombres sus palabras, darles sus ejemplos, darles su vida? Cuando no tenía más que darles, ¡les dio su propia Madre! Y antes de despedirse de nosotros, nos dejó como recuerdo supremo aquél que hoy día celebra la Iglesia: la donación de su propio Cuerpo y de su propia Sangre, para que sea su propio Cuerpo y su propia Sangre el alimento espiritual de nuestras almas.

Y junto a Jesús tenéis a la Virgen, a la dulce Madre María, a aquella que preside este altar. El altar ante el cual tantas veces habéis venido juntos a recibir el Cuerpo eucarístico de Jesús. Ésta, vuestra Madre, os mira desde este altar bendito, os mira desde el cielo y os augura toda clase de bendiciones para vuestro nuevo hogar. Y por eso, Teresita, el rosario que tienes en tus manos, que lo desgranes cada noche junto con tu marido, y mañana juntos con vuestros hijos, y ojalá con los pobres que rodeen vuestra casa. Y a la Madre del Amor hermoso, a la dulce Virgen María, cada noche cincuenta veces le digáis: *"Ruega, Madre, por nosotros, ahora y en la hora de nuestra muerte"*.

Y estoy seguro, mis queridos esposos, que esos deseos ya comienzan a realizarse, porque esa felicidad cristiana que se os desea, estoy cierto, que ya inunda vuestros corazones: ella revienta en vuestras almas.

Vivimos en una hora del mundo en que los hombres parece que han perdido la confianza en sí mismos, la confianza en poder ser felices. Que ellos vean en vuestro hogar que la felicidad es una realidad, que la dicha es don de Dios en la tierra, que la gozan las almas de buena voluntad, como sois vosotros y como pueden serlo todos aquellos que ponen en Dios su felicidad.

José, estoy seguro que deseas decirle a Teresa aquellas palabras de aquel poeta cristiano, que os citaba hace un momento, que decía a su esposa: *"Ven alma virgen, al reclamo amigo de un alma de hombre que te espera ansioso, porque presiente que vendrán contigo el pudor de la virgen candorosa y el casto amor de la leal esposa"*.

Abnegación y alegría

Meditación de un retiro a sacerdotes, 1948

No hay sólo que darse, sino darse con la sonrisa. No hay sólo que dejarse matar, sino ir al combate cantando. Hay que hacer amar la virtud. Hacer que los ejemplos sean contagiosos, de otra manera quedan estériles. Hacer la vida de los que nos rodean sabrosa y agradable.

Esto es triunfar sobre el egoísmo sutil, que una vez expulsado de la trama de nuestra vida, tiende a refugiarse en los repliegues, es decir, en nuestra sensibilidad egoísta, haciendo sentir que uno es un mártir o al menos una víctima, alzándose sobre un pedestal y buscando el ser consolado.

Canta y avanza, la abnegación total es alegría perpetua. ¿Es la cuadratura del círculo? No. Porque hay un vínculo secreto entre el don de sí, por amor, y la paz del alma.

Nuestra vocación es integración total a Cristo, a Cristo resucitado. ¿En qué consiste esta actitud? Es difícil definirla, como no se puede definir la belleza de una pieza de Beethoven, o de una Virgen de Fray Angélico. Es distinta para cada uno. Negativamente, es la eliminación de todo lo que choca, molesta, apena, inquieta a los otros, lo que les hace la vida más dura o más pesada...

San Pablo: *"Ayudaos mutuamente a llevar vuestras cargas y cumplid así la ley de Cristo"* (Gál 6,2). No dice: *"imponed a los demás vuestras cargas"*. Se hace más pesada la atmósfera general.

El temperamento dulce, alegre, ligeramente original, simple, no forzado, alegre, amable en el recibir las personas y las cosas, contribuye a la alegría de la vida... Así Santa Teresa alegraba y contribuye alegrando... Algunas bromitas a tiempo... El sentarse junto a una mesa modestamente.

Cada uno tiene posibilidad de hacer algo, cada uno siguiendo su carácter: unos alegres, otros artistas, otros tranquilos y pacíficos, otros simpáticos... Cada uno cultivando su naturaleza. *La gracia supone la naturaleza.*

Si no se hace amar la virtud, no se la buscará. Se la estimará, pero no se la buscará. Todos desearían estar en la cumbre de un monte para gozar de una bella vista, pero lo que aparta de ella es la dificultad de escalar. La subida es difícil, a veces peligrosa, parece larga. Pero el alegre le quita esa aspereza. Es como el alpinista: si vuelve alegre y animoso, consigue otros adeptos; si vuelve molido, tiritón y quejándose, los otros dicen: ¡bah, esto no es para mí!

Un santo triste, ¡un triste santo! *"Tomad sobre vosotros mi yugo, y aprended de mí, que soy manso y humilde de corazón; y hallaréis descanso para vuestras almas. Porque mi yugo es suave y mi carga ligera"* (Mt 11,29-30). ¡Cuántas vocaciones al ver sonrientes a los novicios!

Un problema de todos

Conferencia para la Acción Católica

El tema de la vocación sacerdotal no puede ser de mayor importancia para la Iglesia, dada la misión del sacerdote. Al sacerdote confió Cristo la administración de sus sacramentos, que son en su Iglesia el medio por excelencia y el camino ordinario de la efusión de la Gracia. La celebración de la santa Misa, que es la renovación en nuestros altares del sacrificio de la Cruz, el acto más excelente que se realiza bajo los cielos, el acto que mayor gloria da al Padre, más que todos los trabajos apostólicos, los sacrificios, las oraciones... y este acto, el centro de la vida cristiana, sólo puede ser realizado por los sacerdotes. La purificación de las almas manchadas por el pecado ha sido confiada al sacerdote. En aquellos países en que el sacerdote católico ha desaparecido, la Iglesia ha terminado por desaparecer...

El problema de la vocación sacerdotal es un problema cristiano en todo el sentido de la palabra, que interesa no sólo a unos cuantos escogidos, que podrían estudiar su vocación, sino que es un problema de todos los cristianos: Problema de los padres que quieran dar educación cristiana a sus hijos; problema de los jóvenes que necesitan un guía en sus años difíciles, para que los dirija en sus crisis de adolescencia; problema de los pobres, que han menester de un padre que se interese por sus necesidades; problema de los que aspiran a formar un hogar, que necesitarán guías de sus conciencias, directores espirituales; problema de los que no tienen fe, problema que ellos no perciben, pero por eso es aun más pavoroso, que necesitan de alguien que desinteresadamente les tienda la mano; problema de los enfermos, que buscarán en vano quien les aliente a entrar serenos en la eternidad, y quien consuele a sus parientes y amigos. Toda la vida cristiana está llena del sacerdote, y todos debieran interesarse porque su número sea cada vez mayor y, sobre todo, porque aumenten en espíritu. Santos, pero también muchos.

El P. Hurtado partía en avión a Arica, a trabajar por la Acción Católica. En esos días se habían caído tres aviones, y le pregunté si no temía embarcarse. Sonriendo me contestó: 'O llego a Arica o llego al Cielo' (P. Ruperto Lecaros, s.j.).

Pesimistas y optimistas

Conferencia a señoras en Viña del Mar, 1946

Hecho curioso, paradoja cruel. Nunca como hoy el mundo ha manifestado tantos deseos de gozar, y nunca como hoy se había visto un dolor colectivo mayor. Al hambre natural de gozo, propia de todo hombre, ha venido a sumarse la serie de descubrimientos que ofrecen hacer de esta vida un paraíso: la radio, que alegra las horas de soledad; el cine, que armoniza fantásticamente la belleza humana, el encanto del paisaje, las dulzuras de la música en argumentos dramáticos, que toman a todo el hombre; el avión, que le permite estar en pocas horas en Buenos Aires, en Nueva York, en Londres o en Roma... La cordillera, que ve invadida su soledad por miles de turistas que saborean un placer nuevo: el vértigo del peligro; la prensa penetra por todas las puertas, aun las más cerradas, por el estímulo de la curiosidad, por la sugestión del gráfico y de la fotografía. Fiestas, Excursiones, Casinos, Regatas, todo para gozar... Y sin embargo, hecho curioso, el mundo está más triste hoy que nunca; ha sido necesario inventar técnicas médicas para curar la tristeza. Frente a esta *angustia contemporánea* muchas soluciones se piensan a diario:

Unas soluciones son del tipo de la evasión. En su grado mínimo, es huir a pensar; atontarse... Para eso sirve maravillosamente la radio, el auto, el cine, el casino, el juego, ¡ruina de la vida interior! Se está, no me atrevería a decir *ocupado*, pero sí, *haciendo algo* que nos permita escapar de nosotros mismos, huir de nuestros problemas, no ver las dificultades. Es la eterna política del avestruz. Los turistas que vienen a estas lindas playas, ¿qué hacen aquí en el verano sino eso? Playa, baño, baño de sol, aperitivo, almuerzo, juego, terraza, cine, casino, hasta que se cierran los ojos para seguir así, no digo gozando, sino *"atontándose"*. Esta política de la evasión lleva a algunos más lejos, a la morfina, al *"opio"* que se está introduciendo, al trago, demasiado introducido, e incluso al suicidio. Nunca me olvidaré de uno que me tocó presenciar en Valparaíso.

Otros, más pensadores, no siguen el camino de la *"evasión"*, sino que afrontan el problema filosóficamente y llegan a doctrinas que son la sistematización del pesimismo.

Para ambos grupos, el fondo, confesado o no, es que la vida es triste, un gran dolor, y termina con un gran fracaso: la muerte. Y sin embargo, la vida no es triste sino alegre, el mundo no es un desierto, sino un jardín; nacemos, no para sufrir, sino para gozar; el fin de esta vida no es morir sino vivir. ¿Cuál es la filosofía que nos enseña esta doctrina? ¡¡El Cristianismo!!

Hay dos maneras de considerarse en la vida: Producto de la materia, evolución de la materia, hijo del mono, nieto del árbol, biznieto de la piedra, o bien Hijo de Dios. Es decir, producto de la generación espontánea, de lo inorgánico, o bien término del Amor de un Dios todo poder y toda bondad.

Claro está que para quien se considera hijo de la materia, y pura materia, el panorama no puede ser muy consolador. La materia no tiene entrañas, carece de corazón, ni siquiera tiene oídos para escuchar los ruegos, ni ojos para ver el llanto.

Pero para quien sabe que su vida no viene de la nada, sino de Dios, el cambio es total. Yo soy la obra de las manos de Dios. Él es el responsable de mi vida. Y yo sé que Dios es Belleza, toda la belleza del universo arranca de Él, como de su fuente. Las flores, los campos, los cielos, son bellos, porque, como decía San Juan de la Cruz, *pasó por estos sotos, sus gracias derramando, y vestidos los dejó de su hermosura.*

El cristiano no pasa por el mundo con los ojos cerrados, sino con los ojos muy abiertos, y en la naturaleza, en la música, y en el arte todo... goza, se deleita, ensancha su espíritu porque sabe que todo eso es una huella de Dios, que todo eso es bello, que esas flores no se marchitan... porque su belleza más completa y cabal la va a encontrar en el mismo Dios.

"Dios es amor", dice San Juan al definirlo, y *"nosotros nos hemos confiado al amor de Dios"* (1Jn 4,8.16). Todo lo que el amor tiene de bello, de tierno: entre padre e hijo, esposo y esposa, amigo

y amiga, todo eso lo encontraremos en Él, pues es amigo, esposo, y más aún, Padre. Estamos tan acostumbrados a esta revelación de la paternidad divina que no nos extraña. Dios, Señor, sí, pero ¿Padre? ¿Padre de verdad? Y de verdad, tan verdad es Padre: *"Para que nos llamemos y seamos hijos de Dios"* (1Jn 3,1). Cuando oréis... ¡Mi Padre y Padre vuestro! Padre que provee el vestido, el alimento; Padre que nos recibe con sus brazos abiertos cuando hemos fallado a nuestra naturaleza de hijos y pecamos. Si tomamos esta idea profundamente en serio, ¿cómo no ser optimistas en la vida?

Dolores: ni la muerte misma enturbia la alegría profunda del cristiano. Los antiguos, ¡cómo la temían! ¡La gran derrota! En cambio, para el cristiano no es la derrota, sino la victoria: el momento de ver a Dios. Esta vida se nos ha dado para buscar a Dios, la muerte para hallarlo, la eternidad para poseerlo. Llega el momento en que, después del camino, se llega al término. El hijo encuentra a su Padre y se echa en sus brazos, brazos que son de amor, y por eso, para nunca cerrarlos, los dejó clavados en su cruz; entra en su costado que, para significar su amor, quedó abierto por la lanza manando de él sangre que redime y agua que purifica (cf. Jn 19,34).

Si el viaje nos parece pesado, pensemos en el término que está quizás muy cerca. En nuestro viaje de Santiago a Viña, estamos quizás llegando a Quilpué... Y al pensar que el tiempo que queda es corto, apresuremos el paso, hagamos el bien con mayor brío, hagamos partícipes de nuestra alegría a nuestros hermanos, porque el término está cerca. Se acabará la ocasión de sufrir por Cristo, aprovechemos las últimas gotas de amargura y tomémoslas con amor.

Y así, *contentos, siempre contentos.* La Iglesia y los hogares cristianos, deben ser centros de alegría; un cristiano siempre alegre, *que el santo triste es un triste santo.* Jaculatorias del fondo del alma: *contento, Señor, contento.* Y para estarlo, decirle a Dios siempre: *"Sí, Padre"*. Cristo es la fuente de nuestra alegría. En la medida que vivamos en Él viviremos felices.

Tenía una jornada muy dura, se acostaba tarde. Tenía toda una juventud gigantesca que orientar y dirigir, nos recibía hasta alta horas de la noche. Sin embargo, creo que el centro de su vida estaba en la oración. Ver al Padre Hurtado a las cinco y media o seis de la mañana en la Iglesia de San Ignacio era una cosa sobrecogedora. A uno lo dejaba perplejo, porque era un hombre que estaba absolutamente concentrado en Dios. De ahí emanaba su fuerza. No provenía de ninguna otra parte (Sergio Ossa).

Vivir para siempre

Meditación de Semana Santa, 1946

1. El hombre quiere vivir

Anhelo profundo de nuestro espíritu, el más profundo es vivir. Si uno ha conocido alguna belleza, anhela seguir poseyéndola. Los que se suicidan no es que odien la vida, sino la vida triste. Por eso la naturaleza se resiste a morir. Cuesta morir, el hombre se defiende –*"no pierde la esperanza"*–. Y quienes creen que el hombre muere, lloran la muerte, y llevan luto por la muerte. Porque el hombre no quiere morir, sino vivir.

Sin embargo, ante nuestros ojos, ¡todo es muerte, separación y dolor! ¡Hay que ser muy joven o muy santo para no conocer el dolor! *"Parirás con dolor. Comerás el pan con el sudor de tu frente. Cultivarás la tierra que te dará abrojos. Tendrás enfermedades y miserias. Morirás..."* (cf. Gn 3,16-19). El niño nace llorando... el hombre se muere con gesto de supremo dolor. Enfermedades, ¿quién se escapa de alguna? En Chile hay 400.000 tuberculosos... Los reyes y los Presidentes se enferman... Y de la muerte, ¿quién se escapa?

¿Ruinas económicas? La guerra las ha hecho tan comunes que a nadie impresionan... Esas ciudades magníficas, gloria del mundo: Ahora son un montón de ruinas. Esos hombres ricos ayer, hoy vestidos de papel... Goering, Hess y el Emperador de Japón en el lado de los vencidos. Mussolini y Hitler, ¡¡eran ayer los amos de Europa!! Hablaban, mandaban, imperaban. Hoy, ¿qué son?

Las facultades cerebrales se gastan, disminuyen, la vista se acorta, los oídos se endurecen: no perciben las armonías, los ojos ya no se deleitan en los colores, los pies ya no pueden llevarlo a las montañas... las ideas se oscurecen, ¡y las últimas etapas de la escala de la vida el hombre las sube solo, triste, melancólico! Después de mirar una vida en que ha habido mucho dolor, muchas crisis, muchas desuniones, se piensa a veces en el fracaso. Se cree en el amor y se ve a la policía en la casa para separar a los hijos; se ha predicado la unión y se ve la disputa del trozo de oro... ¿Es esto vivir? ¿Puede acaso satisfacernos una existencia así?

2. La grandeza de nuestro espíritu

Nuestra alma es espiritual, creada por Dios a su imagen y semejanza. Semejante en su naturaleza y semejante en sus tendencias: Con hambre irresistible de bien, de bondad, de belleza, de verdad; siempre pide más y más.

Todo lo de aquí abajo lo cansa, no lo llena. Por más grande que sea el amor, siempre le queda una apetencia para algo mayor. Por eso que el hombre es el rey de la creación. Porque es el único capaz de comprender y de tender a lo infinito.

Vivir... recordar nuestro destino. Lo infinito. Lo que no tiene límites en todo lo que es perfección.

Dios: que es bello, más que el sol naciente; que es tierno, más que el amor de una madre; que es cariñoso e íntimo, más que el momento 'más de cielo' en el amor; que es fuerte, robusto, magnífico en su grandeza. Santo, Santo, Santo, sin mancha.

¿Qué puedo yo soñar en el rapto más enloquecedor? Eso será realidad en todo lo que tiene de belleza, y mucho más... ¿Comprensión, ternura, intimidad, compañía?... ¡Sí, las tendré y sin manchas!

Y la eternidad... no en sombra de segundos, o años de segundos, para siempre. ¡¡Sin ocaso!! Vivir la eternidad. Mirar a la eternidad en los momentos de depresión. Esto pasa... ¡¡Eso no!! Esto es una hora, ¡¡aquello eterno!!

Mirar mi vida a la luz de la eternidad. Mis amores a la luz de la eternidad... Mi profesión... el uso de mi tiempo... a la luz de la eternidad. Los sacrificios que Dios me pida... Mi vida de estudios, el tiempo que dé a las realidades tangibles, que son sombra de la realidad, frente a la gran realidad, la eterna... ¿Qué tiene esto que ver con la eternidad?

La santidad a la que Dios me llama, que me parece austera; la vida de oración, las mortificaciones, mi apostolado, en el que me roe el desaliento... a la luz de la eternidad... El apostolado que es *"almas para la eternidad"*, almas que sean felices por una eternidad, librarlas de un incendio; la Acción Católica... el sacerdocio... las misiones... La China, el Congo... Los Padres Jesuitas en el Congo, ¡el Padre Jogues y Brébeuf en Canadá! El Padre Damián en la leprosería: Toda la santidad, a la luz de la eternidad: ¡¡Eso es vivir!!

Alegría, ¡y qué feliz se vive cuando se piensa en lo eterno! Allí está mi morada... ¿Dolores? Pasan, pero la eternidad permanece. ¿Muerte? No, un hasta luego, sí ¡hasta el cielo! ¡Hasta muy pronto!

¡Señor, qué pocos piensan así! ¡Qué poco pienso yo así! Y sólo así se piensa en cristiano, ¡y toda otra visión de la vida es pagana! Pero esta visión es imposible sin una vida de intensa oración, sin recogimiento, sin meditación, pero cualquier sacrificio vale la pena por este tesoro. El Reino de los cielos es semejante a un hombre que descubrió un tesoro, y habiéndolo descubierto, ¡vendió todo para comprar aquel campo! (cf. Mt 13,44). Venderlo todo. Es lo que han hecho los santos, los mártires, es lo que hacen los cristianos de verdad.

3. Lo que es la vida eterna

La vida eterna es poseer a Dios... y llenar eternamente con nuevos y nuevos aspectos mi inteligencia sedienta de verdad. No es mirar y saciarme, sino penetrar y ahondar un libro inagotable, porque es infinito y mi inteligencia permanece finita. Es un viaje infinitamente nuevo y eternamente largo.

"¡Hoy estarás conmigo!", le dijo Jesucristo al Ladrón (cf. Lc 23,43). No había para qué decirle: en el paraíso, porque estar con Jesucristo es el Paraíso. ¡Jesucristo! El corazón más noble, el amigo por excelencia, en el cielo, junto a mí, será mi amigo. ¡Vivir, es vivir con Él!

Los seres amados en Cristo, serán poseídos en Él también en el cielo. En el momento de la muerte, la ausencia estará terminada: Vivir, conversar, mirarse, unirse... sin que nada los separe, porque ambos amarán lo mismo, verán las cosas en la misma forma, no habrá el temor de una incomprensión, y nada, ni la muerte, que no existirá, ni el cansancio, ¡¡ni el sueño vendrá a turbar este amor que será eterno!!

¡Vivir! ¡Esto es vivir! ¡Señor que yo realice la verdad, para que llegue a tu luz!, luz indefectible, luz alegre, luz verdadera, ¡¡luz que es vida!!

¡Señor, yo quiero creer! para llegar a amar,
Señor, yo quiero creer, para poder alcanzar,
Señor, yo quiero creer, porque quiero vivir, tu vida, contigo.
Con Jesucristo mi amigo, con mi Madre María,
con mis seres queridos, con tus Ángeles y Santos,
por siempre jamás. Amén. Amén. Amén.

El que se da, crece

Reflexión personal, noviembre de 1947

Comienza por darte. El que se da, crece. Pero no hay que darse a cualquiera, ni por cualquier motivo, sino a lo que vale verdaderamente la pena: Al pobre en la desgracia, a esa población en la miseria, a la clase explotada, a la verdad, a la justicia, a la ascensión de la humanidad, a toda causa grande, al bien común de su nación, de su grupo, de toda la humanidad; a Cristo, que recapitula estas causas en sí mismo, que las contiene, que las purifica, que las eleva; a la Iglesia, mensajera de la luz, dadora de vida, libertadora; a Dios, a Dios en plenitud, sin reserva, porque es el bien supremo de la persona, y el supremo Bien Común. Cada vez que me doy así, sacrificando de lo mío, olvidándome de mí, yo adquiero más valor, un ser más pleno.

Mirar en grande, querer en grande, pensar en grande, realizar en grande. Al comenzar un trabajo, hay que prepararlo pacientemente. La improvisación es normalmente desastrosa. Amar la obra bien hecha, y para ella poner todo el tiempo que se necesite.

Pensar y volver a pensar. En cada cosa, adquirir el sentido de lo que es esencial. No hay tiempo sino para eso. Foch decía: *"Cuando un hombre de cualidades medianas concentra sus energías en un único fin, debe alcanzarlo"*. La vida es demasiado corta para perder el tiempo en intrigas. Muchos buscan no la verdad, ni el bien, sino el éxito.

Con frecuencia se enseña a los hombres a *no hacer*, a *no comprometerse*, a *no aventurarse*. Es precisamente al revés de la vida. Cada uno dispone sólo de un cierto potencial de combate. No despreciarlo en escaramuzas.

Hay que embarcarse: No se sabe qué barcos encontraré en el camino, qué tempestades ocurrirán... Una vez tomadas las precauciones, ¡embarcarse! Amar el combate, considerarlo como normal. No extrañarse, aceptarlo, mostrarse valiente, no perder el dominio de sí; jamás faltar a la verdad y a la justicia. Las armas del cristianismo no son las armas del mundo. Amar el combate, no por sí mismo, sino por amor del bien, por amor de los hermanos que hay que librar.

Hay que perseverar. Muchos quedan gastados después de las primeras batallas. Saber que las ideas caminan lentamente. Muchos se imaginan que, porque han encontrado alguna verdad, eso va a arrebatar los espíritus. Se irritan con los retardos, con las resistencias. Estas resistencias son normales: provienen de la apatía, o de la diferente cultura, o del ambiente. Cada uno parte de lo que es, de lo que ha recibido.

No espantarse ni irritarse de la oposición, ella es normal y, con frecuencia, es justa. Más bien alegrémonos que se nos resista y que se nos discuta. Así nuestra misión penetra más profundamente, se rectifica y anima. Me dirán: *"Su obra está en crisis"*. Pero, amigo, una obra que marcha, tiene siempre cosas que no marchan. Una obra que vive está siempre en crisis.

Permanecer puro, ser duro, buscar únicamente la verdad, el bien, la justicia. Ser simple, y empeñarse en permanecer simple. Creer todavía en el ideal, en la justicia, en la verdad, en el bien, en que hay bondad en los corazones humanos. Creer en los medios pobres. Librar con buena fe batalla contra los poderosos. No buscar engañar, ni aceptar medios que corrompan.

Cuando el obstáculo es la oposición de los hombres, la mejor táctica, con frecuencia, es continuar su camino, sin cuidarse de esta oposición. Se pierde un tiempo precioso en polémicas, cuando sólo cuenta la construcción. Si la oposición viene de los hombres de buena voluntad, de los "santos", de los superiores, verificar mi orientación y si estoy marchando con la Iglesia.

Acuérdate: *"Se va lejos, después que se está fatigado"*. La gran ascética es no ponerse a recoger flores en el camino. El sufrimiento, la cruz es sobre todo permanecer en el combate que se ha comenzado a librar. Esto es lo que más configura con Cristo.

Hay quienes quieren desarrollarse pero sin dolor. No han comprendido aún lo que es crecer... Quieren desarrollarse por el canto, por el estudio, por el placer, y no por el hambre, la angustia, el fracaso y el duro esfuerzo de cada día, ni por la impotencia aceptada, que nos enseña a unirnos al poder de Dios; ni por el abandono de los propios planes, que nos hace encontrar los planes de Dios. El dolor es bienhechor, porque me enseña mis limitaciones, me purifica, me hace extenderme en la cruz de Cristo, me obliga a volverme a Dios.

En un grupo realista de apóstoles, frases como éstas se oyen frecuentemente: *"Después de un peñascazo, otro..."*. 90% de fracaso, ¡¡alegrarse, a pesar de todo!! Comenzar por acusarte a ti mismo. El fracaso construye. Alegría, paz, viva la pepa... y viva, ¡y siempre viva! Así es la vida... ¡¡¡y la vida es bella!!! No armar alharaca. No gritar. No indignarse. No irritarse. No dejar de reírse, y dar ánimo a los demás. Continuar siempre. No se hace nada en un mes: Al cabo de diez años es enorme lo hecho. Cada gota cuenta.

Darme sin contar, sin trampear, en plenitud, a Dios y a mis hermanos, y Dios me tomará bajo su protección. Él me tomará y pasaré ileso en medio de innumerables dificultades. Él me conducirá a su trabajo, al que cuenta. Él se encargará de pulirme, de perfeccionarme y me pondrá en contacto con los que lo buscan y a los cuales Él mismo anima. Cuando Él toma a uno, no lo suelta fácilmente.

Para este optimismo, nada como la visión de fe. La fe es una luz que invade. Mientras más se vive, mayor es su luz. Ella todo lo penetra y hace que todo lo veamos en función de lo esencial, de lo intemporal. El que la sigue, jamás marcha en tinieblas. Tiene solución a todos los problemas, y gracias a ella, en medio del combate, cuando ya no se puede más por la presión, como el corcho de la botella de champaña salta, se escapa hacia lo alto, se une a Cristo y en Él halla la paz. La fe nos hace ver que cada gota cuenta, que el bien es contagioso, que la verdad triunfa.

El Padre manejaba muy rápido, con frenadas muy bruscas cuando creía ver algún niño tirado en la calle, para recogerlo, casi con temor de que se les fueran las horas, porque eso duraba desde las 10 de la noche hasta las 3 de la mañana. Así sacrificaba sus horas de descanso (María Opazo).

Trabajar al ritmo de Dios

Reflexión personal, noviembre de 1947

Cuando un hombre se aparta de los caminos trillados, ataca los males establecidos, habla de revolución, se lo cree loco. Como si el testimonio del Evangelio no fuera locura, como si el cristiano no fuera capaz de un gran esfuerzo constructor, como si no fuéramos *fuertes en nuestra debilidad* (cf. *2Cor* 12,9). Nos hace falta muchos locos de éstos, fuertes, constantes, animados por una fe invencible.

Un apostolado organizado requiere en primer lugar un hombre entregado a Dios, un alma apostólica, completamente ganada por el deseo de comunicar a Dios, de hacer conocer a Cristo; almas capaces de abnegación, de olvido de sí mismas, con espíritu de conquista. La organización racional del apostolado exige, precisamente, que lo supra racional esté en primer lugar. ¡Que sea un santo! En definitiva, no va a apoyarse sobre los medios de su acción humana, sino sobre Dios. Lo demás vendrá después: que trabaje no como guerrillero, sino como miembro del Cuerpo Místico, en unión con todos los demás, aprovechándose de todos los medios para que Cristo pueda crecer en los demás, pero que primero la llama esté muy viva en él.

Es imposible un santo si no es un hombre; no digo un genio, pero un hombre completo dentro de sus propias dimensiones. Hay tan pocos hombres completos. Los profesores nos preocupamos tan poco de formarlos; y pocos toman en serio el llegar a serlo.

El hombre tiene dentro de sí su luz y su fuerza. No es el eco de un libro, el doble de otro, el esclavo de un grupo. Juzga las cosas mismas; quiere espontáneamente, no por fuerza, se somete sin esfuerzo a lo real, al objeto, y nadie es más libre que él. Si se marcha más despacio que los acontecimientos; si se ve las cosas más chicas de lo que son; si se prescinde de los medios indispensables, se fracasa. Y no puede sernos indiferente fracasar, porque mi fracaso lo es para la Iglesia y para la humanidad. Dios no me ha hecho para que busque el fracaso. Cuando he agotado todos los medios, entonces tengo derecho a consolarme y a apelar a la resignación. Muchos trabajan por ocuparse; pocos por construir; se satisfacen porque han hecho un esfuerzo. Eso no basta. Hay que amar eficazmente.

El equilibrio es un elemento preciso para un trabajo racional. Vale más un hombre equilibrado que un genio sin él, al menos para el trabajo de cada día. Equilibrio no quiere decir, en ninguna manera, un buen conjunto de cualidades mediocres; se trata de un crecimiento armónico que puede ser propio del hombre genial, o una salud enfermiza, o una especialización muy avanzada. No se trata de destruir la convergencia de los poderes que se tiene, sino de sobrepasarlas por una adhesión más firme a la verdad, de completarse en Dios por el amor.

La moral cristiana permite armonizarlo todo, jerarquizarlo todo, por más inteligente, ardiente, vigoroso que uno sea. La humildad viene a temperar el éxito; la prudencia frena la precipitación; la misericordia dulcifica la autoridad; la equidad tempera la justicia; la fe suple las deficiencias de la razón; la esperanza mantiene las razones para vivir; la caridad sincera impide el repliegue sobre sí mismo; la insatisfacción del amor humano deja siempre sitio para el amor fraternal de Cristo; la evasión estéril está reemplazada por la aspiración de Dios, cargada de oración, y de insaciable deseo. El hombre no puede equilibrarse sino por un dinamismo, por una aspiración de los más altos valores de que él es capaz.

El ritmo cotidiano debe armonizarse entre reposo, trabajo difícil, trabajo fácil, comidas, descansos. Es bueno recordar que en muchos casos se descansa de un trabajo pasando a otro trabajo, no al ocio.

¿A qué paso caminar? Una vez que se han tomado las precauciones necesarias para salvaguardar el equilibrio, hay que darse sin medirse, para obtener el máximo de eficacia, para suprimir en la medida de lo posible las causas del dolor humano.

Se trabaja casi al límite de sus fuerzas, pero se encuentra, en la totalidad de su donación y en la intensidad de su esfuerzo, una energía como inagotable. Los que se dan a medias están pronto gastados, cualquier esfuerzo los cansa. Los que se han dado del todo, se mantienen en la línea bajo el impulso de su vitalidad profunda.

Con todo, no hay que exagerar y disipar sus fuerzas en un exceso de tensión conquistadora. El hombre generoso tiende a marchar demasiado a prisa: querría instaurar el bien y pulverizar la injusticia, pero hay una inercia de los hombres y de las cosas con la cual hay que contar. Místicamente se trata de caminar al paso de Dios,, de tomar su sitio justo en el plan de Dios. Todo esfuerzo que vaya más lejos es inútil, más aún, nocivo. A la actividad reemplazará el activismo que se sube como la champaña, que pretende objetos inalcanzables, quita todo tiempo para la contemplación; deja el hombre de ser el dueño de su vida.

Al partir en la vida del espíritu, se adquiere una actitud de tensión extrema, que niega todo descanso. Pero como ni el cuerpo ni el alma están hechos para esto, viene luego el desequilibrio, la ruptura. Hay, pues, que detenerse humildemente en el camino, descansar bajo los árboles y recrearse con el panorama, podríamos decir, poner una zona de fantasía en la vida.

El peligro del exceso de acción es la compensación. Un hombre agotado busca fácilmente la compensación. Este momento es tanto más peligroso, cuanto que se ha perdido una parte del control de sí mismo: el cuerpo está cansado, los nervios agitados, la voluntad vacilante. Las mayores tonterías son posibles en estos momentos. Entonces hay sencillamente que disminuir: Volver a encontrar la calma entre amigos bondadosos, recitar maquinalmente su rosario y dormitar dulcemente en Dios.

Asistía a la misa que celebraba el P. Hurtado a las 6 a.m. en la Iglesia de San Ignacio. En un altar lateral, a la derecha, se concentraba para celebrar y adorar como si cada una hubiera sido la primera o la última misa de su vida (Hugo Montes).

La multiplicación de los panes

Meditación sobre la donación y cooperación

Introducción

La pusilanimidad es la gran dificultad en el plan de cooperación. Pensamos: *"yo no valgo nada"*, y viene el desaliento: *"¡Lo mismo da que actúe o que no actúe! Nuestros poderes de acción son tan estrechos. ¿Vale la pena mi modesto trabajo? ¿Qué significa mi abstención? Si yo no me sacrifico, ¡nada se cambia! No hago falta a nadie... ¿Una vocación más o menos?"*. Cuántas vocaciones perdidas. Es el consejo del diablo, que tiene parte de verdad. Hay que encarar la dificultad.

La solución

5.000 hombres, más las mujeres y niños, ya 3 días hambrientos... ¿Comida? Se necesitan 200 denarios: el sueldo de un año de un obrero y, ¡en el desierto! *"¡Diles que se vayan!"*. Pero Andrés, con buen ojo, dice: *"Hay 5 panes y 2 peces pero, ¡para qué va a servir esta miseria!"*. Es nuestro mismo problema: la desproporción.

¡Y qué panes! De cebada, duros como piedra (los judíos comían de trigo). ¡Y qué peces! De lago, blandos, chicos, llevados en un saco por un muchacho, ya 3 días, con ese calor y en esa apretura... ¡eso sí que era poca cosa!

¿Desprecia el Señor esa oblación? No, y con su bendición alimenta a todos y sobra. Ni siquiera desprecia las sobras: Doce canastos; de los peces sobraban cabezas y espinas, y hasta eso lo estima.

El muchacho accedió a dar a Cristo su pobre don, ignorando que iba a alimentar toda esa muchedumbre. Él creyó perder su bien, pero lo halló sobrado, y cooperó al bien de los demás.

Yo... como esos peces (menos que esos panes) machucados, quizás descompuestos; pero en manos de Cristo mi acción puede tener alcance divino.

Recuerde a Ignacio, Agustín, Camilo Lellis, Talbot, ruines pecadores que fueron convertidos en alimento para millares, y que seguirán alimentándose de ellos.

Mi acción y deseos pueden tener alcance divino, y puedo cambiar la faz de la tierra. No lo sabré, los peces tampoco lo supieron. Puedo mucho si estoy en Cristo; puedo mucho si coopero con Cristo...

¡Sacerdote del Señor!

Carta después de haber sido ordenado sacerdote

¡Ya me tiene sacerdote del Señor! Bien comprenderá mi felicidad inmensa, y con toda sinceridad puedo decirle que soy *plenamente* feliz. Dios me ha concedido la gran gracia de vivir contento en todas las casas por donde he pasado y con todos los compañeros que he tenido. Y considero esto una gran gracia. Pero ahora, al recibir *para siempre* la ordenación sacerdotal, mi alegría llega a su colmo. Ahora ya no deseo más que ejercer mi ministerio sacerdotal con la mayor plenitud posible de vida interior y de actividad exterior compatible con la primera.

El secreto de esta adaptación y del éxito, está en la devoción al Sagrado Corazón de Jesús, es decir, al Amor desbordante de Nuestro Señor, al Amor que Jesús, como Dios y como hombre, nos tiene y que resplandece en toda su vida.

Si pudiéramos nosotros en la vida realizar esta idea: ¿qué piensa de esto el Corazón de Jesús, qué siente de tal cosa...? y procurásemos pensar y sentir como Él, ¡cómo se agrandaría nuestro corazón y se transformaría nuestra vida! Pequeñeces y miserias que cometemos nosotros y que vemos se cometen a nuestro lado desaparecerían, y en nuestras comunidades reinaría una felicidad más sobrenatural y también natural, mayor comprensión, un respeto mayor de cada uno de nuestros hermanos, pues hasta el último merece que nos tomemos alguna molestia por él, y que no lo pasemos por alto. Ésta es una idea que me viene con frecuencia y que la pienso mucho, porque desearía realizarla más y más.

Yo creo que la devoción al Sagrado Corazón debemos vivirla en base de una caridad sin límites, que haga que nuestros hermanos se sientan bien en compañía de sus hermanos y que los seglares se sientan movidos no por nuestras palabras, que la mayor parte de las veces los dejará fríos, sino por nuestra vida de caridad humano-divina para con ellos.

Pero esta caridad debe ser también humana, si quiere ser divina. En este ambiente de escepticismo que reina ahora yo no creo que haya otro medio, humanamente hablando, de predicar a Jesucristo entre los que no creen sino éste: el del ejemplo de una caridad como la de Cristo.

Adiós, mi querido Hermano Sergio.

No me olvide delante del Señor.

Alberto Hurtado S.J.

El deber de la Caridad

Meditación predicada por radio, abril de 1944

Si bien debemos mirar al cielo para adorar al Padre, para recibir su inspiración, para fortalecernos para nuestros trabajos y sacrificios, ese gesto no puede ser el único gesto de nuestra vida. Es importantísimo, y sin él no hay acción valedera, pero ha de completarse con otro gesto, también profundamente evangélico. Con una mirada llena de amor y de interés a la tierra, a esta tierra tan llena de valor y de sentido, que cautivó al amor de Dios Eterno, atrayéndolo a ella para redimirla y santificarla con sus enseñanzas, sus ejemplos, sus dolores y su muerte.

Todo el esplendor del cual se enriquece el cielo, se fabrica en la tierra. El cielo es el granero del Padre, pero el más hermoso granero del mundo no ha añadido jamás un solo grano a las espigas, ni una sola espiga al sembrado. El trigo sólo crece en el barro de esta tierra.

La devoción al Corazón de Cristo y al Corazón de María tienen ese sentido profundo: Recordar a los hombres entristecidos del mundo moderno, que por encima de sus dolores hay un Dios que los ama, hay un *Dios que es amor* (cf. 1Jn 4,8), un Dios que cuando ha querido escoger un símbolo para representar el mensaje más sentido de su alma, ha escogido el *Corazón* porque simboliza el amor, el amor hacia ellos, los hombres de esta tierra. Un amor que no es un vano sentimentalismo, sino un sacrificio recio, duro, que no se detuvo ante las espinas, los azotes y la cruz.

Y junto a ese Corazón, nos recuerda también que hay otro corazón que nos ama, el Corazón de su Madre, y Madre nuestra, que nos aceptó como hijos cuando su Corazón estaba a punto de partirse de dolor junto a la Cruz, al ver cómo sufría el Corazón de Jesús, su Hijo, por nosotros los hombres de esta tierra, redimida por el dolor de un Dios hecho hombre, que quiso asociar a su redención el dolor de su Madre y el de sus fieles. El mensaje de amor de Jesús y de María, urge nuestro amor.

Con esta intención los invito, amados en Cristo, a recogernos unos instantes en actitud de oración. Si tienen ante sus ojos el santo crucifijo o la imagen del Corazón de Jesús y del Corazón de María, comprenderán, en ese símbolo, toda la urgencia de este llamado a la caridad, al amor, al interés por nuestros hermanos de esta tierra, que constituye el precepto fundamental de la vida cristiana.

Esta lección constituye el núcleo de la predicación cristiana. *"El que no ama a su hermano no ha nacido de Dios"*, dice San Juan. *"Si pretende amar a Dios y no ama a su hermano, miente. ¿Cómo puede estar en él el amor de Dios, si rico en los bienes de este mundo y viendo a su hermano en necesidad le cierra el corazón?"* (cf. 1Jn 4,8; 4,20; 3,17).

Y las enseñanzas de los Pontífices, si hay algo que recuerdan con insistencia extraordinaria es esta primacía de la caridad en la vida cristiana. El primer Papa, San Pedro, en la primera Encíclica que dirigiera a la naciente cristiandad, nos dejó esta enseñanza: *"Sed perseverantes en la oración, pero por encima de todo practicad continuamente entre vosotros la caridad"* (1Pe 4,7-8).

León XIII en la *Rerum Novarum* nos decía: *"Es de una abundante efusión de caridad, de la que hay que esperar la salvación, hablamos de la caridad cristiana, que resume todo el Evangelio"* (nº 41).

Hermanos en Cristo: Acuérdense que aún más valiosa que la honestidad y la piedad, es la generosidad. Recuerden que no han cumplido el deber si pueden decir solamente: *no he hecho mal a nadie*, pues están obligados a hacer perpetuamente buenas acciones. *Está muy bien no hacer el mal, pero está muy mal no hacer el bien.*

Odio y matanza es lo que uno lee en las páginas de la prensa cotidiana; odio es lo que envenena el ambiente que se respira. El tremendo dolor de la guerra de Europa y Asia, ¿cómo va a dejarnos indiferentes? Somos solidarios de infinidad de hombres, mujeres y niños que sufren como quizás nunca se ha sufrido sobre la tierra, ya que a todos los continentes llegan las repercusiones del gran drama europeo.

¿Qué tengo que ver con la sangre de mi hermano?, afirmaba cínicamente Caín (cf. Gn 4,9), y algo semejante parecen pensar algunos hombres que se desentienden del inmenso dolor moderno. Esos dolores son nuestros, no podemos desentendernos de ellos.

Son tan numerosos esos niños de todas las razas del mundo que son capaces, con la gracia de Dios, de llegar a ser discípulos predilectos de Cristo, pero que no han encontrado el apóstol que les muestre al Maestro. No puedo desinteresarme de ellos... Son mis hermanos de la tierra, destinados a ser hermanos de Cristo. Los pescadores y labradores, los mercaderes en sus toldos de la China, los pescadores de perlas que descienden al océano, los mineros del carbón que se encorvan en las vetas de la tierra, los trabajadores del salitre, los del cobre, los obreros de los altos hornos que tienen aspiraciones grandes y dolores inmensos que sobrellevar, de su propia vida y la de sus hogares. Cristo me dice que no amo bastante, que no soy bastante hermano de todos los que sufren, que sus dolores no llegan bastante al fondo de mi alma, y quisiera, Señor, estar atormentado por *hambre y sed de justicia* que me torturara para desear para ellos todo el bien que apetezco para mí.

Son tan numerosos los que te buscan a tientas, Señor, lejos de la luz verdadera... Son más de mil millones los que no conocen aún al que es *Camino, Verdad y Vida* (Jn 14,6). Cuántos dolores no encuentran consuelo en sus almas, porque no conocen al que les enseñó a sufrir con resignación, con sentido de solidaridad y de redención social.

Y si, sin mirar tan lejos, echamos una mirada a nuestra querida tierra chilena, ¡cuántos hermanos nuestros encontramos en ella que reclaman nuestra comprensión, nuestra justicia y nuestra caridad! La doctrina de Cristo no es predicada en grandes extensiones de la nación chilena: la pampa está casi sin sacerdotes, parroquias sin párroco. Cuántos jóvenes, si pensaran en esta realidad, sentirían arder un nuevo deseo en sus almas y comprenderían que hay una causa grande por la cual ofrecer sus vidas. ¡Señor, danos ese amor, el único que puede salvarnos!

Durante su enfermedad, dijo: 'Estamos en las manos de Dios. Esa es la gran ciencia, estar a fondo en las manos de Dios... pero somos tan tontos que no aprendemos nunca a entregarnos completamente. ¡Ahora estoy enteramente en sus manos y por eso estoy tan feliz! La Santísima Virgen vendrá quizás más tarde a buscarme. La espero, estoy como un pasajero en el andén, con las maletas listas y el tren no pasa' (Marta Holley).

Mi vida, un disparo a la eternidad

Reflexión personal sobre la visión de eternidad

Pedimos heroísmo a los cristianos, y ¡tanto heroísmo! ¿En qué se basa esta exigencia? En la visión de eternidad de la vida. Uno es santo o burgués, según comprenda o no esta visión de eternidad. El burgués es el instalado en este mundo, para quien su vida sólo está aquí. Todo lo mira en función del placer. La vida para él es un limón que hay que exprimir hasta la última gota; una colilla de cigarro que se fuma con fruición, sin pensar que luego quedará reducido a una colilla... Burguesa es la mentalidad opuesta en todo al cristianismo: es resolver los problemas con sólo el criterio del tiempo. *¡Aprovecha el día!* Goza, goza.

El mundo de lo sensible acentúa esa sed de gozo, ofreciéndonos atractivo en todo lo que nos rodea: el cine, el gran predicador del materialismo y de la vida fácil; la propaganda del placer y del lujo que cubre los muros y va por las ondas: Todo nos predica el materialismo. Y no es raro que nosotros caigamos también en ese materialismo práctico. De aquí que el mundo moderno se mueve y se agita, pero ha perdido el sentido de lo divino. Despertemos en nosotros ese sentido de lo divino, que se fundará en un conocimiento exacto de mis relaciones con Dios.

¡Dios! ¡Cómo ensancha el alma ponerse a meditar estas verdades, las mayores de todas! Es como cuando uno se pone a mirar el cielo estrellado en una noche serena. La razón nos lleva a Dios. Todo nos habla de Él: el orden, la metafísica, el acuerdo de los sabios, los santos y los místicos. Él es el que es: *"Yo soy el que soy"*.

La naturaleza de Dios: Santo, Santo, Santo; armonía, orden, belleza, amor. Dios es Amor; Omnipotente; Eterno. Pensemos cuando el mundo no existía... Imaginemos el acuerdo divino para crear... El primer brotar de la materia. La evolución de los mundos. Los astros que revientan. Los millones de años. "Y Dios en su eternidad".

¡Todo depende de Dios!, y, por tanto, ¡la adoración es la consecuencia más lógica de mi dependencia total!

La oración, que a veces nos parece inútil, ¡qué grande aparece cuando uno piensa que es hablar y ser oído por quien todo lo ha hecho! A Dios que no le costó nada crear el mundo ¿qué le costará arreglarlo?, ¿qué le costará arreglar un problema cualquiera? Tanto más cuanto que nos ama: ¡Nos dio a su Hijo! (cf. Jn 3,16). A veces un desaliento porque no comprendo a Dios, pero, ¿cómo espero comprenderlo, yo que ni comprendo sus obras? Consecuencia: mucho más orar que moverme. Además que en el moverme hay tanto peligro de activismo humano.

¿Y yo? Ante mí la eternidad. Yo, un disparo en la eternidad. Después de mí, la eternidad. Mi existir, un suspiro entre dos eternidades. Bondad infinita de Dios conmigo. Él pensó en mí hace más de cientos de miles de años. Comenzó, si pudiera, a pensar en mí, y ha continuado pensando, sin poderme apartar de su mente, como si yo no más existiera. Si un amigo me dijera: los once años que estuviste ausente, cada día pensé en ti, ¡cómo agradeceríamos tal fidelidad! ¡Y Dios, toda una eternidad!

¡Mi vida, pues, un disparo a la eternidad! No apegarme aquí, sino a través de todo mirar a la vida venidera. Que todas las creaturas sean transparentes y me dejen siempre ver a Dios y la eternidad. A la hora que se hagan opacas me vuelvo terreno y estoy perdido.

Después de mí la eternidad. Allá voy y muy pronto. Cuando uno piensa que tan pronto terminará lo presente uno saca la conclusión: ser ciudadanos del cielo, no del suelo.

En el momento de la muerte, *"aquello que está escondido aparecerá"*; todo el mal y todo el bien, todas las gracias recibidas. *"¿Qué diré yo, entonces?"*. Esto tan pronto se presentará. Al reflexionar en mi término, en mi destino eterno, no puedo menos de pensar... ¿Cuál es mi fin? ¿Adquirir riquezas? No. ¡Cuántos no podrían alcanzar su fin! ¿Alcanzar comprensión de los seres que me rodean? ¿En guardarlos junto a mí?... Todo esto es digno de respeto, pero no es mi fin. El fin de mi vida es Dios y nada más que Dios, y ser feliz en Dios. Para este fin me dio inteligencia y voluntad, y sobre todo libertad.

La norma que me puso fue la santidad, que consiste en que conozca a Dios. ¿Me preocupo de conocerlo? ¿Cultivo mi espíritu? ¿Cómo rezo? ¿Alabanzas, Salmos, Gloria al Padre? Servirlo las 24 horas del día, sin jubilación, con alegría y generosidad. Y luego, salvar el alma (EE 23).

"Desde los días de Juan el Bautista hasta ahora, el Reino de los Cielos sufre violencia, y los violentos lo arrebatan" (Mt 11,12). *"¡Qué estrecha la puerta que lleva a la Vida y pocos son los que la encuentran!"* (Mt 7,14). *"Si alguno quiere venir en pos de mí, niéguese a sí mismo"* (Mc 8,34). ¡Salvad el alma! nos dicen los santos: la tierra pasa, pero el cielo no; los condenados: ¡estos fuegos jamás se apagan!

¡Vivir, pues, en visión de eternidad! Cuánto importa refrescar este concepto de eternidad que nos ha de consolar tanto. La guerra, los dolores, todo pasa ¿Y luego? *Nada te turbe, nada te espante, ¡Dios no se muda!.* Y después de la breve vida de hoy, la eterna. *¡Hijitos míos! No os turbéis. En la casa de mi Padre, hay muchas moradas* (cf. Jn 14,2). La enseñanza de Cristo está llena de la idea de la eternidad.

Consecuencia de mi visión de eternidad: Acordarme frecuentemente. *"Somos ciudadanos del cielo"* (Flp 3,20) *"Donde está nuestro tesoro, allí está nuestro corazón"* (cf. Mt 6,21). Alegrarme de tener que ir allá. No temo la muerte, porque es el momento de ver a Dios. Sé que mis males tienen término y que mis aspiraciones lograrán su objeto.

De aquí, generosidad, desprendimiento, heroísmo. Todo tiene premio. ¿Qué es lo que alienta a Las Hermanitas de los pobres? El cielo. El monje que tenía una ventanita chica abierta al cielo: en sus tristezas, miraba por ella y se reconfortaba.

De aquí la íntima comprensión que nada hay más grande que tratar con Dios, que Dios es la gran realidad, en cuya comparación las otras realidades no merecen tal nombre. El que trata con Dios, trata con la auténtica, gran realidad. ¡De aquí el santo, el pacificado, el sereno, el alegre, ilumina su vida con el recuerdo del cielo!

En la Población Nueva San Manuel, el Padre Hurtado entró a una choza en medio de un basural, en que vivía un grupo de personas, y comenzó a sacar unos niños para llevarlos al Hogar de Cristo. En un momento, teniendo a un niño de unos dos años en sus manos, se volvió a los jóvenes que lo acompañábamos, y levantándolo, nos dio la bendición, trazando con el niño el signo de la Cruz. Así nos indicaba que Cristo estaba presente en ese niño (P. Fernando Karadima).

Adoración y servicio

Carta a un amigo, junio de 1948

Muerto de vergüenza estoy por lo mal que me he portado contigo, pero tú conoces de sobra mi vida, y sabes los mil y un *traqueteos* en que me veo envuelto y que me dejan imposibilitado para poder escribirte una larga y noticiosa carta.

Me alegro, en el alma, de las noticias que me das de tu vida, de tus trabajos, y de tus actividades; sobre todo de la contemplación a la que Dios te va llevando.

Cada día estoy más persuadido que el camino iniciado es el único sólido para una influencia cristiana. El olvido de Dios, tan característico en nuestro siglo, creo que es el error más grave, mucho más grave aun que el olvido de lo social.

Nuestro siglo es eminentemente *"el siglo del hombre"*. Buscando las virtudes activas, hemos perdido el sentido de sacrificio y de la resignación; sin embargo, esto tiene un valor eterno que nada podrá reemplazar.

Ojalá, pues, mi querido amigo, que te empapes de calma, de adoración. Esta última palabrita es la que más quiero recalcarte: *adoración*. Tratar de palpar la inmensa grandeza de Dios, algo de lo que se ve en el Antiguo Testamento y que una explicación excesivamente dulzona nos hace olvidar a veces. Es absolutamente necesario hacer amistad con Cristo, en el sentido de una fraternidad con Él, pero que nada nos haga olvidar la distancia infinita que nos separa; que si Él nos llama sus hijos no es porque tengamos derecho, sino por un gesto de su infinita bondad.

Te recomiendo mucho que saborees oraciones de la Santa Misa, la *Secuencia* de Pentecostés y otras por el estilo. Ojalá llegues a connaturalizarte con la vida litúrgica en su sentido más pleno, con el canto de los salmos, con la adoración eucarística. Lo que más te deseo –te lo repito una y mil veces– es que vuelvas con mucho espíritu de adoración, con mucha paz interior, con una gran disposición a ser un instrumento de Cristo. En esto está la santidad. Ninguna definición tan hermosa de oración he encontrado como la del P. Charles: *"Orar es conformar nuestros quereres con el querer divino, tal como Él se manifiesta en sus obras"*.

Todos estos *traqueteos* míos se aumentan ahora con el proyecto de habitaciones de emergencia que empieza a caminar, como cuerda anexa del Hogar de Cristo. El buen espíritu de los colaboradores es magnífico y creo que esta idea será realidad hermosísima a fines de año. Pensamos construir poblaciones de emergencia para la gente más pobre. Primero se les arrendará y luego éstos empezarán a amortizar cuotas hasta cubrir el valor de una de las casas.

Por otra parte, y para los menos pobres, pensamos construir casitas que desde el primer momento serán de sus poseedores. Ellos contribuirán con pequeñas cuotas y el resto se amortizará según sus posibilidades.

Dios nos dé hombres de vida interior que encaren los problemas con serenidad y con verdadera justicia.

Te saluda con todo cariño tu afectísimo amigo,

Alberto Hurtado S.J.

El hombre de acción

Reflexión personal, noviembre de 1947

I. Virtudes del hombre de acción

Hay que llegar a la lealtad total. A una absoluta transparencia, a vivir de tal manera que nada en mi conducta rechace el examen de los hombres, que todo pueda ser examinado. Una conciencia que aspira a esta rectitud siente en sí misma las menores desviaciones y las deplora: se concentra en sí misma, se humilla, halla la paz.

Debo considerarme siempre servidor de una gran obra. Y, porque mi papel es el de sirviente, no rechazar las tareas humildes, las ocupaciones modestas de administración, aun las de aseo... Muchos aspiran al tiempo tranquilo para pensar, para leer, para preparar cosas grandes, pero hay tareas que todos rechazan, que ésas sean de preferencia las mías. Todo ha de ser realizado si la obra se ha de hacer. Lo que importa es hacerlo con inmenso amor. Nuestras acciones valen en función del peso de amor que ponemos en ellas.

La humildad consiste en ponerse en su verdadero sitio. Ante los hombres, no en pensar que soy el último de ellos, porque no lo creo; ante Dios, en reconocer continuamente mi dependencia absoluta respecto de Él, y que todas mis superioridades frente a los demás provienen de Él.

Ponerse en plena disponibilidad frente a su plan, frente a la obra que hay que realizar. Mi actitud ante Dios no es la de desaparecer, sino la de ofrecerme con plenitud para una colaboración total.

Humildad es, por tanto, ponerse en su sitio, tomar todo su sitio, reconocerse tan inteligente, tan virtuoso, tan hábil como uno cree serlo; darse cuenta de las superioridades que uno cree tener, pero sabiéndose en absoluta dependencia ante Dios, y que todo lo ha recibido para el bien común. Ese es el gran principio: *Toda superioridad es para el bien común* (Santo Tomás).

No soy yo el que cuenta, es la obra. No achatarme. Caminar al paso de Dios. No correr más que Dios. Fundir mi voluntad de hombre con la voluntad de Dios. Perderme en Él. Todo lo que yo agrego de puramente mío, está demás; mejor, es nada. No esperar reconocimiento, pero alegrarse y agradecer los que vienen. No achicarme ante los fracasos; mirar lo que queda por hacer, y saber que mañana habrá un nuevo golpe, y todo esto con alegría.

Munificencia, magnificencia, magnanimidad, tres palabras casi desconocidas en nuestro tiempo. La munificencia y la magnificencia no temen el gasto para realizar algo grande y bello. Piensa en otra cosa que en invertir y llenar los bolsillos de sus partidarios. El magnánimo piensa y realiza todo en forma digna de la humanidad: no se achica. Hoy se necesita tanto, porque en el mundo moderno todo está ligado. El que no piensa en grande, en función de todos los hombres, está perdido de antemano. Algunos te dirán: *"¡Cuidado con el orgullo!... ¿por qué pensar tan grande?"*. Pero no hay peligro: mientras mayor es la tarea, más pequeño se siente uno. Vale más tener la humildad de emprender grandes tareas con peligro de fracasar, que el orgullo de querer tener éxito, achicándose.

Grandeza y recompensa del militante en el gran combate que libra: sobrepasarse siempre más en el amor... ¿El éxito? ¡Abandonarlo a Dios!

II. Pecados de un hombre de acción

Creerse indispensable a Dios. No orar bastante. Perder el contacto con Dios. Andar demasiado a prisa. Querer ir más rápido que Dios. Pactar, aunque sea ligeramente, con el mal para tener éxito.

No darse entero. Preferirse a la Iglesia. Estimarse en más que la obra que hay que realizar, o buscarse en la acción. Trabajar para sí mismo. Buscar su gloria. Enorgullecerse. Dejarse abatir por el fracaso. Aunque más no sea, nublarse ante las dificultades.

Emprender demasiado. Ceder a sus impulsos naturales, a sus prisas inconsideradas u orgullosas. Cesar de controlarse. Apartarse de sus principios.

Trabajar por hacer apologética y no por amor. Hacer del apostolado un negocio, aunque sea espiritual. No esforzarse por tener una visión lo más amplia posible. No retroceder para ver el conjunto. No tener cuenta del contexto del problema.

Trabajar sin método. Improvisar por principio. No prevenir. No acabar. Racionalizar con exceso. Ser titubeante, o ahogarse en los detalles. Querer siempre tener razón. Mandarlo todo. No ser disciplinado.

Evadirse de las tareas pequeñas. Sacrificar a otro por mis planes. No respetar a los demás; no dejarles iniciativas; no darles responsabilidades. Ser duro para sus asociados y para sus jefes. Despreciar a los pequeños, a los humildes y a los menos dotados. No tener gratitud.

Ser sectario. No ser acogedor. No amar a sus enemigos. Tomar a todo el que se me opone como si fuese mi enemigo. No aceptar con gusto la contradicción. Ser demoledor por una crítica injusta o vana.

Estar habitualmente triste o de mal humor. Dejarse ahogar por las preocupaciones del dinero. No dormir bastante, ni comer lo suficiente. No guardar, por imprudencia y sin razón valedera, la plenitud de sus fuerzas y gracias físicas.

Dejarse tomar por compensaciones sentimentales, pereza, ensueños. No cortar su vida con períodos de calma, sus días, sus semanas, sus años...

Era un hombre de Dios: 'Otro Cristo'. Entregado sin reservas y sin horario. Quiso ser 'otro Cristo', y lo consiguió. Se asimiló totalmente a Cristo: los deseos de Cristo eran sus deseos; las palabras de Cristo eran sus palabras... Fue tanto lo que nos inculcó que debíamos ser 'otros Cristos', que yo quise serlo, pero como Cristo estaba tan alto, descubrí que podía ser 'otro Cristo' imitando a un hombre que era realmente 'otro Cristo'. Y partí al Noviciado de la Compañía de Jesús... (P. Víctor Risopatrón, s.j.).

Los riesgos de la fe

Invitación al seguimiento de Cristo

"¿Podéis beber el cáliz?... ¡Podemos!" (Mt 20,22). Santiago y Juan piden al Señor, con noble ambición, sentarse a su lado en la gloria; sublime ambición, y Jesús les responde con la gran aventura en que se embarcan si piden esto: *Debéis correr un tremendo riesgo para alcanzarlo. ¿Podéis beber mi cáliz, podéis ser bautizados con mi Bautismo? -¡Sí, podemos!* Aquí está nuestro deber: arriesgarnos cada día por la vida eterna... Arriesgarse significa correr un riesgo: ¡falta total de seguridad! El que quiere salvarse tiene que arriesgarse. No hay riesgo cuando no hay temor, incertidumbre, ansiedad y miedo. En esto consiste la excelencia y la nobleza de la fe, que la señala entre las otras virtudes: porque supone la grandeza de un corazón que se arriesga. *"La fe es la firme seguridad de lo que esperamos; la convicción de lo que no vemos"* (Heb 11,1). En su esencia, pues, la fe es hacer presente lo que no vemos; obrar por la sola esperanza de lo que esperamos sin poseerlo ahora; el arriesgarse para alcanzarlo.

Los Apóstoles Santiago y Juan no se daban perfecta cuenta de todo cuanto ofrecían, pero lo más íntimo de su corazón se revelaba en estas palabras, profecía de su conducta futura. ¡Se entregaron a sí mismos sin reserva y fueron cogidos por Uno más fuerte que ellos y cautivados por Él! Pero aunque poco sabían el alcance de su ofrecimiento, se ofrecían de corazón y así fueron aceptados: *"-¿Podéis beber?... -¡Sí podemos! -¡Beberéis, pues, mi cáliz, y seréis bautizados con el Bautismo con que yo seré bautizado!"* (Mt 20,22).

Así actuó también Nuestro Señor con San Pedro: Aceptó el ofrecimiento de sus servicios, aunque le avisó cuán poco se daba cuenta de lo que ofrecía.

El caso del joven rico, que se volvió tristemente cuando Nuestro Señor le pidió que lo dejase todo y lo siguiera, es uno de esos casos de uno que no se atreve a arriesgar este mundo por el otro, fiándose de Su Palabra.

Conclusión: Si la fe es la esencia de la vida cristiana, se sigue que nuestro deber es arriesgar todo cuanto tenemos, basados en la Palabra de Cristo, por la esperanza de lo que aún no poseemos; y debemos hacerlo de una manera noble, generosa, sin ligereza, aunque no veamos todo lo que entregamos, ni todo lo que vamos a recibir, pero confiando en Él, en que cumplirá su promesa, en que nos dará fuerzas para cumplir nuestros votos y promesas, y así abandonar toda inquietud y cuidado por el futuro.

Pensemos. ¿Qué has sacrificado por la promesa de Cristo? En cada riesgo hay que sacrificar algo: aventuramos nuestras propiedades por una ganancia, cuando tenemos fe en un plan comercial. ¿Qué hemos aventurado por Cristo? ¿Qué le hemos dado en la confianza de su promesa? Éste es el problema: ¿qué hemos arriesgado nosotros?

Por ejemplo, San Bernabé tenía una propiedad en Chipre: la dio para los pobres de Cristo. Aquí hay un sacrificio, hizo algo que no habría hecho si el Evangelio de Cristo fuera falso... Y es claro que si el Evangelio de Cristo fuera falso (lo que es imposible) hizo un muy mal negocio; sería como un negociante que quebró, o cuyos barcos se hundieron.

El hombre tiene confianza en el hombre, se fía de su vecino, se arriesga, pero los cristianos no arriesgamos mucho en virtud de las palabras de Cristo y esto es lo único que deberíamos hacer. Cristo nos advierte: *"Haceos amigos con el Dinero injusto, para que, cuando llegue a faltar, os reciban en las eternas moradas"* (Lc 16,9). Esto es, sacrifiquen por el mundo futuro lo que los sin fe usan tan mal: *viste al desnudo, alimenta al hambriento...*

Así, el que teniendo buenas perspectivas en el mundo, abandona todas sus perspectivas para estar más cerca de Cristo, para hacer de su vida un sacrificio y un apostolado, se arriesga por Cristo. O aquel que, deseando la perfección, abandona sus proyectos mundanos y, como Daniel o San Pablo, con mucho trabajo y mucho esfuerzo, lleva una vida iluminada sólo por la vida que vendrá. O aquel que, cuando se ve cercado de lo que el mundo llama males, aunque tiembla, dice: *"Que se haga tu voluntad"*. Éstos arriesgan lo que pueden por la fe.

La aceptación

Estos son oídos por Dios, y sus palabras son escuchadas, aunque no sepan hasta dónde llega lo que ofrecen, pero Dios sabe que dan lo que pueden y arriesgan mucho. Son corazones generosos, como Juan, Santiago, Pedro, que con frecuencia hablan mucho de lo que querrían hacer por Cristo, hablan sinceramente pero con ignorancia, y por su sinceridad son escuchados, aunque con el tiempo aprenderán cuán serio era su ofrecimiento. Dicen a Cristo *"¡podemos!"*, y su palabra es oída en el cielo.

Es lo que nos acontece en muchas cosas en la vida. Así, en la Confirmación, cuando renovamos lo que por nosotros se ofreció en el Bautismo, no sabemos bastante bien lo que ofrecemos, pero confiamos en Dios y esperamos que Él nos dará fuerzas para cumplirlo. Así también, al entrar en la vida religiosa, no saben hasta dónde se embarcan, ni cuán profundamente, ni cuán seductoras sean las cosas del mundo que dejan.

Y así también, en muchas circunstancias, el hombre se ve llevado a tomar un camino por la Religión que puede llevarle quizá al martirio. ¡No ven el fin de su camino! Sólo saben que eso es lo que tienen que hacer, y oyen en su interior un susurro que les dice que, cualquiera sea la dificultad, Dios les dará su gracia para no ser inferiores a su misión.

Sus Apóstoles dijeron: *¡Podemos!*, y Dios los capacitó para sufrir como sufrieron: Santiago, traspasado en Jerusalén (el primero de los Apóstoles); Juan más aún, porque murió el último: años de soledad, destierro y debilidad. Con razón Juan diría al final de su vida: *¡Ven, Señor Jesús!* (Ap 22,20), como los que están cansados de la noche y esperan la mañana.

No nos contentemos con lo que poseemos; más allá de las alegrías, ambicionemos llevar la Cruz para después poseer la corona. ¿Cuáles son, pues, hoy nuestros riesgos basados en su Palabra? Jesús, expresamente lo dice: *"El que dejare casa, o hermanos o hermanas, o padre o madre, o esposa o hijos o hijas, o tierras por mi nombre, recibirá el ciento por uno y la herencia del cielo... Pero muchos que son los primeros serán los últimos; y los últimos serán los primeros"* (Mt 19,29-30).

Tan intensos y tan fecundos trabajos no tendrían explicación si una llama de amor viva, no hubiera estado ardiendo hasta consumirlo en el corazón de Alberto Hurtado (Mons. Augusto Salinas).

Te Deum

Acción de gracias por la Patria, septiembre de 1948

¡A ti, oh Dios te alabamos!, hemos entonado como un himno de acción de gracias al Creador por los beneficios recibidos por nuestra Patria en este nuevo aniversario de vida independiente.

¡Cómo no elevarse hasta el cielo en una ferviente acción de gracias a *Aquel de quien desciende todo don* al contemplar nuestra hermosa tierra (cf. Sant 1,16), la más bella del universo; nuestras montañas austeras, que invitan a la seriedad de la vida; nuestros campos fértiles; nuestro cielo azul, que invita a la oración; el alma de nuestros hermanos chilenos, inteligente, esforzada, valiente, franca, leal!

¡Cómo no elevarse hasta el cielo al recordar nuestra historia cargada de bendiciones del cielo, que nos han hecho una Nación digna y respetable! ¡Cómo no agradecer a Dios aun aquello que tal vez pudieran algunos lamentar como una desgracia: la resistencia de nuestra tierra a entregar sus riquezas!

En el norte, el salitre en medio del desierto; en el centro, la agricultura entre ásperas montañas que ha sido necesario a veces horadar para hacer llegar el agua de regadío; en el sur, los bosques vírgenes que han debido caer para abrir paso a las vías de comunicación, para roturar las tierras; en el sur, en tierras inclementes barridas por los vientos, pacen nuestros ganados; debajo del mar, yace nuestro carbón; y aun allá en el último confín del globo, en las nieves eternas, hay riquezas que pueden traer bienestar al hombre, confiadas por Dios a Chile, y allí montan guardia, junto al Pabellón nacional, un grupo de nuestros compatriotas, que preparan una nueva página de nuestra historia.

El patriotismo no debe ser belicoso con otros países. Una Nación, más que por sus fronteras, más que su tierra, sus cordilleras, sus mares, más que su lengua, o sus tradiciones, es una misión que cumplir.

Querer que la patria crezca no significa tanto un aumento de sus fronteras cuanto el cumplimiento de su misión. ¿Cuál es la misión de mi Patria? ¿Cómo puede realizarla? ¿Cómo puedo colaborar yo en ella? Dios ha confiado a Chile esa misión de esfuerzo generoso, su espíritu de empresa y de aventura, ese respeto del hombre, de su dignidad, encarnado en nuestras leyes e instituciones democráticas.

Esfuerzo y aventura que llevó a Chile hasta colaborar en la liberación de las naciones vecinas, hasta realizar hazañas militares que parecían imposibles, hasta arrancar sus secretos al desierto y a la cordillera. Y todas estas conquistas consumadas por un espíritu jurídico de respeto al hombre que se tradujo en instituciones, en leyes civiles y sociales en un tiempo modelo en América y en el mundo. ¡Cómo no dar gracias a Dios por tantos beneficios!

Pero el *¡A ti, oh Dios, te alabamos!* entonado tiene también otro sentido: mezcla de dolor arrepentido por la tarea no cumplida, la Patria alza su voz pidiendo el auxilio del cielo para cumplir la misión confiada, para ser fiel a esa misión que Dios ha querido estampar en la austeridad de nuestras montañas y campos.

La austeridad primitiva desaparece: el dinero ha traído fiebre de gozo y de placer. El espíritu de aventura, de las grandes aventuras nacionales, se debilita más y más, una lucha de la burocracia sucede a la lucha contra la naturaleza.

La fraternidad humana, que estuvo tan presente en la mente de nuestros libertadores al acordar como una de sus primeras medidas la liberación de la esclavitud, sufre hoy atroces quebrantos al presenciar cómo aún hoy miles y miles de hermanos son analfabetos, carecen de toda educación técnica, desposeídos de toda propiedad, habitando en chozas indignas de seres humanos, sin esperanza alguna de poder legar a sus hijos una herencia de cultura y de bienes materiales que les permitan una vida mejor; los dones que Dios ha dado para la riqueza y la alegría de la vida son usados para el vicio; las leyes sociales están bien inspiradas, pero son casi ineficaces; la inseguridad social amenaza pavorosamente al obrero, al empleado, al anciano.

Chile tiene una misión en América y en el mundo: misión de esfuerzo, de austeridad, de fraternidad democrática, inspirada en el espíritu del Evangelio. Y esa misión se ve amenazada por todas las fuerzas de la vida cómoda e indolente, de la pereza y apatía, del egoísmo.

La misión de Chile queremos cumplirla, nos sacrificaremos por ella. Nuestros Padres nos dieron una Patria libre, a nosotros nos toca hacerla grande, bella, humana, fraternal. Si ellos fueron grandes en el campo de batalla, a nosotros nos toca serlo en el esfuerzo constructor.

Pero esta misión ha dejado de cumplirse porque las energías espirituales se han debilitado, porque las virtudes cristianas han decaído, porque la Religión de Jesucristo, en que fuera bautizada nuestra Patria y cada uno de nosotros, no es conservada, porque la juventud, sumida en placeres, ya no tiene generosidad para abrazar la vida dura del sacerdocio, de la enseñanza y de la acción social. Es necesario, antes que nada, producir un reflotamiento de todas las energías morales de la Nación: devolver a la Nación el sentido de responsabilidad, de fraternidad, de sacrificio, que se debilitan en la medida en que se debilita su fe en Dios, en Cristo, en el espíritu del Evangelio.

Y estas ideas con qué alegría puede uno pronunciarlas en Chillán, en la Patria de O'Higgins, aquel hombre lleno de valores morales porque lleno de fe; este mismo fue el espíritu de Prat, el más valiente chileno y el más ferviente cristiano con el escapulario de la Virgen al cuello; el espíritu de cada uno de nuestros grandes Padres de la Patria y el espíritu de nuestros humildes y valientes soldados; el espíritu de nuestras madres y de nuestras abuelas que nos formaron en el respeto a Dios, en el amor a Cristo y a su Madre, y en la austeridad, el esfuerzo y la caridad fraternal.

¡A ti, oh Dios, te alabamos!, hemos dicho y *¡A ti, oh Dios, te alabamos!,* hemos de repetir a cada instante, pidiendo al cielo que Dios siga protegiendo la Patria querida, bendiciendo a sus gobernantes y esforzando a su Pueblo para ser fieles a la misión que Él nos confiara.

En mi viaje a Chile en 1949, el P. Hurtado me esperaba en el Aeropuerto con su camioneta. Al dirigirnos al Hogar de Cristo, nos detuvimos a la orilla del río Mapocho, y me explicó la estrategia que usaba para acercarse a los niños vagos, sin asustarlos. Resplandecía de alegría, cuando me hablaba de uno de ellos que había aprendido un oficio y había fundado un hogar (P. Le Roy, s.j.).

Compromiso y testimonio

Carta desde París, diciembre de 1947

Gracias a Dios que termina un año más de vida bien empleada, puede usted decirle al Señor con toda sinceridad y humildad. Ha sido gracia de Él llamarla a su servicio, como la llamó a la vida, pero no sería honrado si no reconociera esta gracia. Al mirar para atrás el camino recorrido, no sólo insista en las deficiencias e imperfecciones, sino también en lo que Él le ha permitido hacer, y en el motivo al cual ha consagrado su vida: buscarlo a Él en sus prójimos, servirlo y amarlo en los demás comenzando por su hijita, el recuerdo siempre querido de su esposo, su familia, y luego sus pobres, aquellos en los cuales la fe nos lo muestra siempre presente.

Mientras más pienso en esta pobre Europa después de la guerra, amargada, empobrecida, desalentada para el trabajo, al menos en algunos países, más claramente veo nuestra misión de católicos: Dar testimonio de Cristo en este mundo triste, testimonio de nuestra alegría que se funda en nuestra fe en Él, en la bondad del Padre de los cielos; testimonio de una inquebrantable esperanza y de una honda caridad. Esto y nada más: pero es bastante para salvar el mundo. Estoy leyendo una hermosa Carta pastoral del Cardenal de París: *Auge o caída de la Iglesia,* y su lección, repetida hasta el cansancio, es que el católico tiene la misión de *"encarnarse, comprometerse en lo temporal para dar testimonio de Cristo"*. Estas palabras uno las oye ahora repetidas hasta el cansancio: son el programa para los tiempos actuales.

Felizmente, la obra en que usted está empeñada, el Hogar de Cristo, a eso tiende. Le digo esto para invitarla a mirar aun desde un punto de vista no sólo inmediatamente humanitario, sino bajo el punto de vista del sentir íntimo de la Iglesia, esta obra que responde tanto a lo que el mundo necesita. Por eso, a pesar de las dificultades, cansancios, repugnancias, pequeñez propia, ¡adelante, con la gracia de Dios!

Me parece muy bien lo que están haciendo para hacer agradable el Hogar: mientras más atrayente, mejor.

Ojalá que todo esto lleve a los obreros a un sentimiento cada vez más hondo del respeto que se deben a sí mismos, al ver el respeto con que se les trata.

Saludos a su familia.

Alberto Hurtado S.J.

En los días de abandono

Reflexión personal, noviembre de 1947

Estoy solo. Bien solo esta vez, entre los demás. Nadie me comprende. Los mejores amigos han manifestado su oposición. Se me han puesto frente a frente. Todos los planes están en peligro. Todo se ve oscuro.

Estoy solo. Enteramente solo. La puerta acaba de cerrarse después de la última conversación dolorosa. El último amigo ha partido, después de haber puesto brutalmente su yo, en contra mía.

Y, sin embargo, sería necesario, para realizar la empresa comenzada, que todos los amigos estuviésemos juntos, todos juntos en comunión. Se avanzaba apenas, el naufragio a cada momento parecía inminente.

Estoy solo. Bien solo. Y he aquí que Dios entra, y estrecha el alma, la levanta, la confirma, la consuela y la llena. Ya no estoy solo. Y los otros volverán también, sin mucho tardar, y no abandonarán el trabajo rudo, el barco no naufragará. Vamos al trabajo, dulcemente, a las cartas, a la lectura, a corregir, a escribir. La vida todavía es bella y Dios está allí.

En estos momentos, acude a tu pieza.

Tu pieza es un desierto. Entre el piso, el cielo y los cuatro muros, no hay más que tú y Dios. La naturaleza, que entra por la ventana, no turba tu coloquio, ella lo facilita. El mundo no cuenta para ti; ciérrale la puerta, con llave, por una hora. Recógete y escucha. Dios está aquí. Te espera y te habla.

Es tu Dios, grande, hermoso, que te reconforta, que te ilumina, que te hace entender que te ama. Está dispuesto a darse a ti, si tú quieres darte tú mismo. Acógelo, no lo rechaces. No huyas de Él, está allí. Te espera y te habla.

Es la hora que Él había escogido, para encontrarte. No te vayas. Escucha bien. Tú necesitas de Él, y Él también necesita de ti para su obra, para hacer por medio de ti el bien a tus hermanos.

Él se va a entregar a ti generosamente, de corazón a corazón en esta soledad.

A ratos tu desierto es tu pieza, pero a Dios lo necesitas siempre. ¿Cómo recogerte en intimidad con Él, como los apóstoles a los cuales convidó al desierto para darles más intimidad?

Tu desierto, es la voluntad de nunca traicionar; es tu recogimiento en Dios; es tu esperanza indefectible.

Tu desierto, no necesitas buscarlo lejos de los hombres; tú lo hallas en todas partes si vuelas a Dios; tanto en el tranvía, como en la plaza, como ante la inmensa asamblea que espera tu palabra.

Tu desierto, es tu separación del pecado; tu fidelidad a tu destino, a tu fe, a tu amor.

Eucaristía y felicidad

La Eucaristía y las aspiraciones del hombre

La gran obra de Cristo, que vino a realizar al descender a este mundo, fue la redención de la humanidad. Y esta redención en forma concreta se hizo mediante un sacrificio. Toda la vida del Cristo histórico es un sacrificio y una preparación a la culminación de ese sacrificio por su inmolación cruenta en el Calvario. Toda la vida del Cristo místico no puede ser otra que la del Cristo histórico y ha de tender también hacia el sacrificio, a renovar ese gran momento de la historia de la humanidad que fue la primera Misa, celebrada durante veinte horas, iniciada en el Cenáculo y culminada en el Calvario.

Toda santidad viene del sacrificio del Calvario, él es el que nos abre las puertas de todos los bienes sobrenaturales. Todas las aspiraciones más sublimes del hombre, todas ellas, se encuentran realizadas en la Eucaristía:

1. La Felicidad: El hombre quiere la felicidad y la felicidad es la posesión de Dios. En la Eucaristía, Dios se nos da, sin reserva, sin medida; y al desaparecer los accidentes eucarísticos nos deja en el alma a la Trinidad Santa, premio prometido sólo a los que coman su Cuerpo y beban su Sangre.

2. Ser como Dios: El hombre siempre ha aspirado a ser como Dios, a transformarse en Dios, la sublime aspiración que lo persigue desde el Paraíso. Y en la Eucaristía ese cambio se produce: el hombre se transforma en Dios, es asimilado por la divinidad que lo posee; puede con toda verdad decir como San Pablo: *"ya no vivo yo, Cristo vive en mí"* (Gál 2,20).

3. Hacer cosas grandes: El hombre quiere hacer cosas grandes por la humanidad; pero, ¿dónde hará cosas más grandes que uniéndose a Cristo en la Eucaristía? Ofreciendo la Misa salva la humanidad y glorifica a Dios Padre en el acto más sublime que puede hacer el hombre. El sacerdote y los fieles son uno con Cristo, *"por Cristo, con Él y en Él"* ofrecemos y nos ofrecemos al Padre.

4. Unión de caridad: En la Misa, también nuestra unión de caridad se realiza en el grado más íntimo. La plegaria de Cristo: *"Padre, que sean uno... que sean consumados en la unidad"* (Jn 17,22-23), se realiza en el sacrificio eucarístico.

¡Oh, si fuéramos a la Misa a renovar el drama sagrado, a ofrecernos en el ofertorio con el pan y el vino que van a ser transformados en Cristo pidiendo nuestra transformación! La consagración sería el elemento central de nuestra vida cristiana. Teniendo la conciencia de que ya no somos nosotros, sino que tras nuestras apariencias humanas vive Cristo y quiere actuar Cristo...

Y la comunión, esa donación de Cristo a nosotros, que exige de nosotros gratitud profunda, traería consigo una donación total de nosotros a Cristo, que así se dio, y a nuestros hermanos, como Cristo se dio a nosotros.

A la comunión no vamos como a un premio, no vamos a una visita de etiqueta, vamos a buscar a Cristo para *"por Cristo, con Él y en Él"* realizar nuestros mandamientos grandes, nuestras aspiraciones fundamentales, las grandes obras de caridad...

Después de la comunión, quedar fieles a la gran transformación que se ha apoderado de nosotros. Vivir nuestro día como Cristo, ser Cristo para nosotros y para los demás:

¡Eso es comulgar!

Nuestra imitación de Cristo

Conferencia en la Universidad Católica, 1940

Toda nuestra santificación consiste en conocer a Cristo e imitar a Cristo. Todo el evangelio y todos los santos están llenos de este ideal, que es el ideal cristiano por excelencia. Vivir en Cristo; transformarse en Cristo... San Pablo: *"Nada juzgué digno sino de conocer a Cristo y a éste crucificado"* (1Cor 2,2)... *"Vivo yo, ya no yo, sino Cristo vive en mí"* (Gál 2,20)... La tarea de todos los santos es realizar en la medida de sus fuerzas, según la donación de la gracia, diferente en cada uno, el ideal paulino de vivir la vida de Cristo. Imitar a Cristo, meditar en su vida, conocer sus ejemplos... Pero, ¡de cuántas maneras se ha comprendido la imitación de Cristo!

I. Maneras erradas de imitar a Cristo

1. Para unos, la imitación de Cristo se reduce a un estudio histórico de Jesús. Van a buscar el Cristo histórico y se quedan en Él. Lo estudian, leen el Evangelio, investigan la cronología, se informan de las costumbres del pueblo judío... Y su estudio, más bien científico que espiritual, es frío e inerte. La imitación de Cristo para éstos se reduciría a una copia literal de la vida de Cristo. Pero no es esto. No: *"El espíritu vivifica; la letra mata"* (2Cor 3,6).

2. Para otros, la imitación de Cristo es más bien un asunto especulativo. Ven en Jesús como el gran legislador; el que soluciona todos los problemas humanos, el sociólogo por excelencia; el artista que se complace en la naturaleza, que se recrea con los pequeñuelos... Para unos es un artista, un filósofo, un reformador, un sociólogo, y ellos lo contemplan, lo admiran, pero no mudan su vida ante Él.

3. Otro grupo de personas creen imitar a Cristo preocupándose, al extremo opuesto, únicamente de la observancia de sus mandamientos, siendo fieles observadores de las leyes divinas y eclesiásticas. Escrupulosos en la práctica de los ayunos y abstinencias. Contemplan la vida de Cristo como un prolongado deber, y nuestra vida como un deber que prolonga el de Cristo. A las leyes dadas por Cristo ellos agregan otras, para completar los

silencios, de modo que toda la vida es un continuo deber, un reglamento de perfección, desconocedor en absoluto de la libertad de espíritu.

El foco de su atención no es Cristo, sino el pecado. El sacramento esencial en la Iglesia no es la Eucaristía, ni el Bautismo, sino la Confesión. La única preocupación es huir del pecado. E imitar a Cristo para ellos es huir de los pensamientos malos, evitar todo peligro, limitar la libertad de todo el mundo y sospechar malas intenciones en cualquier acontecimiento de la vida. No; no es ésta la imitación de Cristo que proponemos. Esta podría ser la actitud de los fariseos, no la de Cristo.

4. Para otros, la imitación de Cristo es un gran activismo apostólico, una multiplicación de esfuerzos de orientación de apostolado, un moverse continuamente en crear obras y más obras, en multiplicar reuniones y asociaciones. Algunos sitúan el triunfo del catolicismo únicamente en actitudes políticas. Para otros, lo esencial es una gran procesión de antorchas, una reunión gigante, la fundación de un periódico... Y no digo que eso esté mal, que eso no haya de hacerse. Todo es necesario, pero no es eso lo esencial del catolicismo.

II. Verdadera solución

Nuestra religión no consiste, como en primer elemento, en una reconstrucción del Cristo histórico; ni en una pura metafísica o sociología o política; ni en una sola lucha fría y estéril contra el pecado; ni primordialmente en la actitud de conquista. Nuestra imitación de Cristo no consiste tampoco en hacer lo que Cristo hizo, ¡nuestra civilización y condiciones de vida son tan diferentes!

Nuestra imitación de Cristo consiste en vivir la vida de Cristo, en tener esa actitud interior y exterior que en todo se conforma a la de Cristo, en hacer lo que Cristo haría si estuviese en mi lugar. Lo primero necesario para imitar a Cristo es asimilarse a Él por la gracia, que es la participación de la vida divina. Y de aquí ante todo aprecia el Bautismo, que introduce, y la Eucaristía que alimenta esa vida y que da a Cristo, y si la pierde, la Penitencia para recobrar esa vida...

Y luego de poseer esa vida, procura actuarla continuamente en todas las circunstancias de su vida por la práctica de todas las virtudes que Cristo practicó, en particular por la caridad, la virtud más amada de Cristo.

La encarnación histórica necesariamente restringió a Cristo y su vida divino–humana a un cuadro limitado por el tiempo y el espacio. La encarnación mística, que es el cuerpo de Cristo, la Iglesia, quita esa restricción y la amplía a todos los tiempos y espacios donde hay un bautizado. La vida divina aparece en todo el mundo. El Cristo histórico fue judío, vivió en Palestina, en tiempo del Imperio Romano. El Cristo místico es chileno del siglo XX, alemán, francés y africano... Es profesor y comerciante, es ingeniero, abogado y obrero, preso y monarca... Es todo cristiano que vive en gracia de Dios y que aspira a integrar su vida en las normas de la vida de Cristo en sus secretas aspiraciones. Y que aspira siempre a esto: a hacer lo que hace, como Cristo lo haría en su lugar. A enseñar la ingeniería, como Cristo la enseñaría; el derecho...; a hacer una operación con la delicadeza de Cristo...; a tratar a sus alumnos con la fuerza suave, amorosa y respetuosa de Cristo; a interesarse por ellos como Cristo se interesaría si estuviese en su lugar. A viajar como viajaría Cristo, a orar como oraría Cristo, a conducirse en política, en economía, en su vida de hogar como se conduciría Cristo.

Esto supone un conocimiento de los evangelios y de la tradición de la Iglesia, una lucha contra el pecado; trae consigo una metafísica, una estética, una sociología, un espíritu ardiente de conquista... Pero no cifra en ellos lo primordial. Si humanamente fracasa, si el éxito no corona su apostolado, no por eso se impacienta. La única derrota consiste en dejar de ser Cristo por la apostasía o por el pecado.

Este es el catolicismo de un Francisco de Asís, Ignacio, Javier, y de tantos jóvenes y no jóvenes que viven su vida cotidiana de casados, de profesores, de solteros, de estudiantes, de religiosos, que participan en el deporte y en la política con ese criterio de ser Cristo. Éstos son los faros que convierten las almas, y que salvan las naciones.

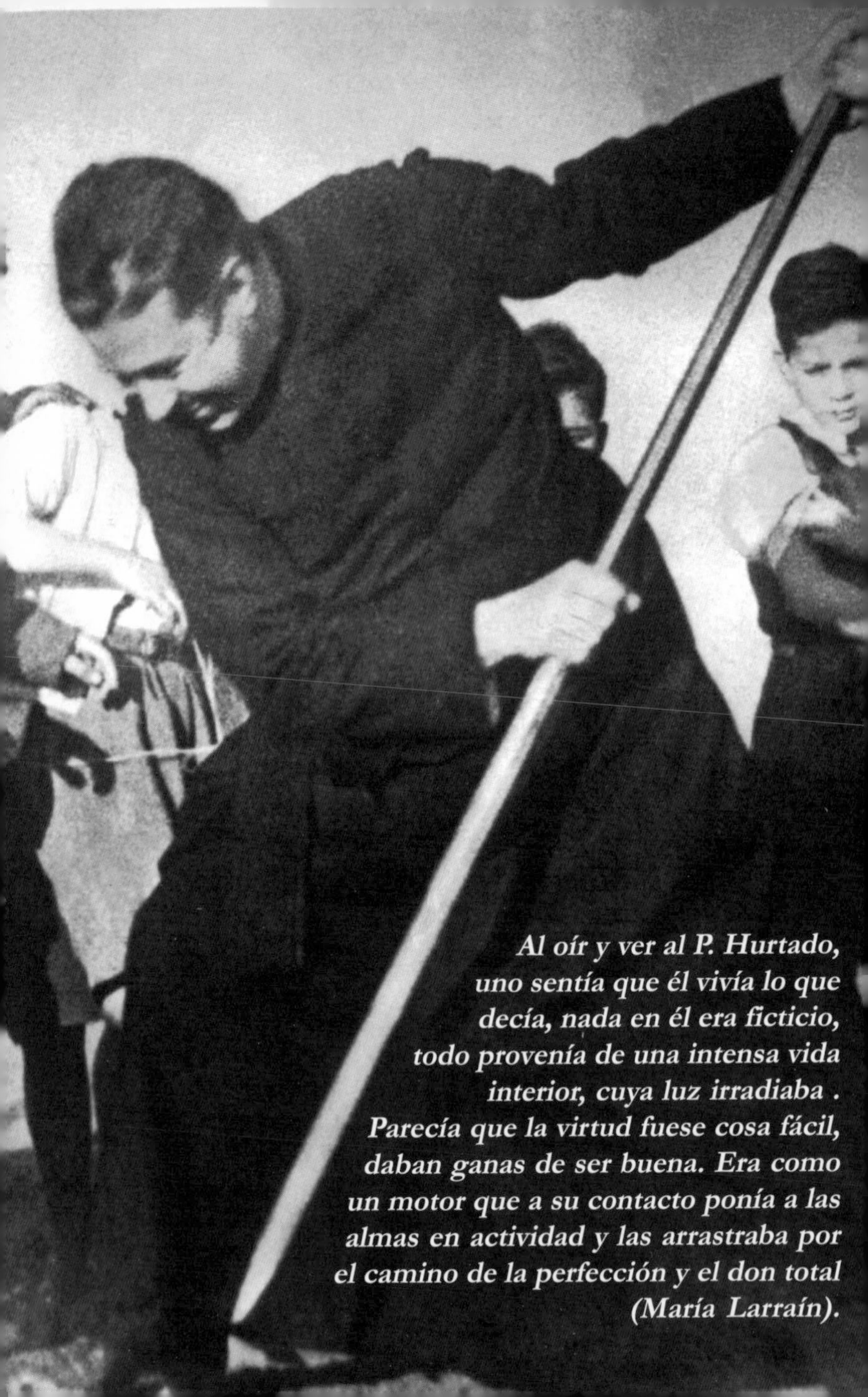

Al oír y ver al P. Hurtado, uno sentía que él vivía lo que decía, nada en él era ficticio, todo provenía de una intensa vida interior, cuya luz irradiaba . Parecía que la virtud fuese cosa fácil, daban ganas de ser buena. Era como un motor que a su contacto ponía a las almas en actividad y las arrastraba por el camino de la perfección y el don total (María Larraín).

La misión del apóstol

Meditación para los sacerdotes de la A.C., enero 1942

La grandeza de la obra apostólica. El apostolado es la iluminación de las almas. Dios, que podría iluminarlas por sí mismo, se vale de nosotros para ello. La Buena Nueva, el Evangelio, que trajo Cristo al mundo, es la reconciliación de las almas con su Padre. Esta Buena Nueva predicada y aplicada es el apostolado.

La doctrina de San Pablo es muy clara: Jesús murió por todos, por los judíos y por los gentiles. Pagó la deuda de todos ellos y los redimió a todos, sin excepción. Pero además de este principio hay que tener en cuenta otro, que supone la solidaridad apostólica. La salvación ha sido hecha posible por Cristo, el rescate sobreabundante, infinito, está pagado, pero no basta eso para conseguir la salvación: la salvación no se realiza automáticamente.

Cristo nos da la posibilidad de la salvación, nos adquirió el derecho a poder incorporarnos a su muerte y resurrección, pero para que esta incorporación se realice de hecho se requiere, normalmente hablando, la colaboración de otros hombres: los apóstoles. Esta colaboración humana, esta cooperación del apóstol al plan de Dios que San Pablo llama *"co–trabajo con Dios"* (1Cor 3,9), es el fundamento de la vida apostólica.

La misión del apóstol se puede comparar a la de aquel hombre que, en una ciudad sitiada por el enemigo y a punto de que sus habitantes perezcan de sed, se encuentra dueño de la vida o de la muerte de sus habitantes, pues él conoce una corriente de aguas subterráneas que puede salvar a sus hermanos; es necesario un esfuerzo para ponerla a descubierto. Si él se rehúsa a ese esfuerzo, perecerán sus compañeros. ¿Se negará al sacrificio?

Podemos comparar su misión a la de quien ve un torrente ancho, profundo y sucio, que fluye con ímpetu hacia nosotros. Retumba la avalancha, rugen los abismos, se encrespan las olas. Sobre las olas millares de desgraciados lanzan gritos de socorro: gritan, nadan desesperadamente, surgen y se levantan, para volver a hundirse, y pronto desaparecen. Son hermanos nuestros.

Otros nos gritan: *–¡Sálvame!* ¿Quién de nosotros podría pasearse tranquilamente por la orilla? *–¡Al agua los botes, empuñar los remos y salvar esas vidas que perecen! –¡Procuren sostenerse un poco!* –les gritaríamos–, *ya vamos, ya estamos. Dame la mano y te salvaré...* ¡Y qué alegría la de aquel hombre que consagra su vida a tan humanitaria misión! La más humanitaria, la más bella, la más urgente.

La inmensa responsabilidad de los cristianos, tan poco meditada y, sin embargo, tan formidable. El cristianismo se resume en una ley de caridad, a Dios y al prójimo; lo demás es accesorio o está contenido en estos dos preceptos, y, sin embargo, estos preceptos fundamentales son los más fácilmente olvidados. Del cristiano depende la vida de innumerables almas, de su predicación y sobre todo de su vida. Lo que él sea, eso serán aquellos que el Señor ha confiado a sus cuidados.

Está aún fresca la valiente comparación del santo Cura de Ars: *"Un sacerdote santo, una buena parroquia; un buen sacerdote, parroquia tibia; sacerdote tibio, ¿cómo será la parroquia?"*. Y San Agustín, a los que lastimosamente lamentaban la corrupción de los tiempos, sin hacer otra cosa por corregirlos, les decía: *"Decís vosotros que los tiempos son malos, sed vosotros mejores y los tiempos serán mejores: vosotros sois el tiempo"*. Los apóstoles pueden decir como nadie: Nosotros somos el tiempo. Lo que seamos nosotros eso será la cristiandad de nuestra época.

¡Horrible responsabilidad! Al apóstol le tocará revelar en su carne mortal la vida de su Maestro para la salvación de las almas... De esa revelación, ¡cuántos destinos hay pendientes con proyecciones de eternidad!

De los apóstoles depende que la guerra al pecado sea dirigida con intensidad y que si hoy hay vicio, mañana reine la virtud; que los jóvenes que hoy se agotan en la impureza, renazcan a una vida digna; que los hogares desunidos vuelvan a unirse; que los ricos traten con justicia y caridad a los pobres.

Junto al apóstol brotan las obras de bien. Las lágrimas se enjugan y se consuelan tantos dolores. ¡Qué vida, aun humanamente considerada, puede ser más bella que la vida del apóstol! ¡Qué consuelos tan hondos y puros como los que él experimenta!

Las proyecciones del apostolado son inmensamente mayores si consideramos su perspectiva de eternidad. Las almas que se agitan y claman en las plazas y calles tienen un destino eterno: Son trenes sin frenos disparados hacia la eternidad. De mí puede depender que esos trenes encuentren una vía preparada con destino al cielo o que los deje correr por la pendiente cuyo término es el infierno. ¿Podré permanecer inactivo cuando mi acción o inacción tiene un alcance eterno para tantas almas?

"La caridad de Cristo nos urge" decía San Pablo (2Cor 5,14). La salvación depende, hasta donde podemos colegirlo, en su última aplicación concreta, de la acción del apóstol. De nosotros, pues, dependerá que la Sangre de Cristo sea aprovechada por aquellos por quienes Cristo la derramó.

El Redentor puede, por caminos desconocidos para nosotros, obrar directamente en el fondo de las conciencias, pero, hasta donde podemos penetrar en los secretos divinos, aleccionados por las palabras de la Sagrada Escritura, de la Tradición y de la liturgia de la Iglesia, se ha impuesto a Sí mismo el camino de trabajar en colaboración con nosotros, y de condicionar la distribución generosa de sus dones a nuestra ayuda humana.

Si le negamos el pan, no desciende Cristo a la Eucaristía; si le negamos nuestros labios, tampoco se transubstancia, ni perdona los pecados; si le negamos el agua, no desciende al pecho del niño llamado a ser tabernáculo; si le negamos nuestro trabajo, los pecadores no se hacen justos; y los moribundos, ¿dónde irán al morir en su pecado porque no hubo quien les mostrara el camino del cielo?...

Si queremos, pues, que el amor de Jesús no permanezca estéril, *no vivamos para nosotros mismos, sino para Él* (cf. 2Cor 5,15). Así cumpliremos el deseo fundamental del Corazón de Cristo: obedeceremos al mandamiento de su amor.

No vivamos para nosotros mismos, sino para Él. En esto consiste la abnegación radical tan predicada por San Ignacio. El que vive ya no viva, pues, para sí; esto es, hagamos nuestros, en toda la medida de lo posible, mediante la pureza de corazón, la oración y el trabajo, los sentimientos de Jesús: su paciencia, su celo, su amor, su interés por las almas. *"Vivo yo, ya no yo; vive Cristo en mí"* (Gál 2,20).

Así cumpliremos el deseo fundamental del Corazón de Cristo: *"Venga a nos tu Reino..."* (Mt 6,9). *"Esta es la vida eterna, que te conozcan a ti, oh Padre, y al que enviaste, Jesucristo"* (Jn 17,3). *"Yo he venido para que tengan vida y la tengan abundante"* (Jn 10,10).

¡A dar esa vida, a hacer conocer a Cristo, a acelerar la hora de su Reino está llamado el apóstol! ¡La Reina de los Apóstoles interceda porque todos los miembros de la Acción Católica sean apóstoles de verdad!

El amor a Jesucristo

Sobre la misión del director espiritual

Uno de los medios más importantes de la educación sobrenatural, casi la base de toda la educación, es infundir en los jóvenes el amor a Jesucristo. El que ha mirado profundamente una vez siquiera los ojos de Jesús no lo olvidará jamás.

El alma del joven, al irse fortaleciendo, necesitará más y más la verdadera figura de Jesús. Del Jesús Niño debe ir pasando al Jesús adolescente, al Jesús jefe, al Jesús de la Cruz. Debe conocer un Cristo enérgico y varonil: El del sermón de la montaña, el que expulsa a los mercaderes del Templo, el que calma las tempestades, el que invita a los hombres a seguirlo dejándolo todo para poseerlo a Él. Y conocer, al mismo tiempo, a ese Cristo que es el Dios bueno que acoge al hijo pródigo, que busca la ovejita perdida, que perdona a la Magdalena, que defiende a la adúltera y que sale en busca de Zaqueo.

¡Qué fuerza sentirá el joven que pueda dialogar diariamente con este Cristo en la Eucaristía! El director espiritual debe procurar que los adolescentes y jóvenes conozcan la figura de Cristo no solamente de segunda mano, sino directamente por medio de la Sagrada Escritura. El fin de toda dirección espiritual es sembrar el amor a Jesucristo en el corazón de los jóvenes, hacer que traben verdadera amistad con Cristo: Un contacto vivo, sincero, entre Él y ellos. Que se acostumbren a buscar siempre y en todo a Cristo.

Jesús no debe ser para los jóvenes un mero recuerdo, un cuadro pálido, sino una realidad viva y grande a quien sometan todos sus planes, a quien descubran todas sus esperanzas y todos sus deseos, alguien que viva muy cerquita de ellos alegrándose de sus triunfos y sufriendo con ellos en sus caídas.

La suprema aspiración del joven debe ser reproducir la vida del Maestro; prolongar la Encarnación. Todo esto se resume en la gran máxima centro de toda vida espiritual: *Hacer lo que haría Cristo si estuviera en mi lugar.*

Partimos una noche de invierno con el P. Hurtado en tren a Concepción, en vagón de tercera clase. El Padre se sentó junto a la puerta, frente al baño. Le advertimos que tendríamos portazos, ventoleras y malos olores, y quedaban otros asientos. Él nos contestó: '¡Nosotros podemos viajar aquí! No vamos a dejar que otros sufran esas molestias, cuando nosotros podemos sufrirlas por amor de Dios' (P. Víctor Risopatrón, s.j.).

Con gran prisa...

Sobre la visitación de María a Santa Isabel

El Ángel anuncia a María la noticia de Isabel, y María se levanta a ayudar al prójimo. Tan pronto es concebido el Verbo de Dios, María se levanta, hace preparativos de viaje y se pone en camino *con gran prisa* para ayudar al prójimo.

María ha comprendido su actitud de cristiana. Ella es la primera que fue incorporada a Cristo y comprende inmediatamente la lección de la Encarnación: no es digno de la Madre de Dios aferrarse a las prerrogativas de su maternidad para gozar la dulzura de la contemplación, sino que hay que comunicar a Cristo. Su papel es el de comunicar a Jesús a los otros. Sacrifica no los bienes espirituales, pero sí los goces sensibles. Lo que ocurre tantas veces en nuestra vida: celebrar la Misa en un galpón, con perros, gallos, cabras... Muy bien, si se trata de comunicar a Cristo, condenación al egoísmo espiritual que rehúsa sacrificar los consuelos cuando el bien de los otros lo pide.

Caridad real: Se levanta y va, y hace de sirvienta tres meses. Caridad real, activa, que no consiste en puro sentimentalismo... dispuesta a prestar servicios reales y que para ello se molesta y se sacrifica.

Servicios difíciles. La Virgen de 15 años, llevando el fruto bendito, parte para esa montaña escarpada, en la cual sitúa Nuestro Señor la escena del Samaritano con el herido, medio muerto por bandidos. ¡¿Excusas?! ¡¡Cuatro días de viaje!! A través de caminos poco seguros. Las dificultades no detienen su caridad. Además, no le han pedido nada. Bastaría aguardar. Nadie se extrañaría. Así razona nuestro egoísmo cuando se trata de hacer servicios.

Parte prontamente: No espera que le avisen. Tan pronto recibe la visita del Ángel, sin esperar que le avisen. ¡Ella, la Madre de Dios, da el primer paso! ¡Qué sincera es María en sus resoluciones! Ha dicho: *"He aquí la Esclava del Señor"*, y lo realiza; recibe el aviso del Ángel, y parte. Este adelantarse en los favores, los duplica. Humilla tanto el pedir; evitémoslo, y sobre todo el prestar los favores de manera brusca, que hace más daño que bien.

Como la Santísima Virgen, que parece no darse cuenta que se sacrifica. Sin ostentación, sin recalcar el servicio prestado, sin que a los cinco minutos ya lo sepa toda la comunidad, y quizás toda la ciudad. ¡Más bien, como si yo fuese el beneficiado! ¡Esa es la caridad, esa es la que gana los corazones! Un servicio prestado de mal humor, es echado a perder: *"¡Dios ama al que da con alegría!"* (2Co 9,7). ¡El que da con prontitud, da dos veces! Es el gran secreto del fervor: la prisa y el entusiasmo por hacer el bien.

No refugiarnos detrás de nuestra dignidad, esperando que los otros den el primer paso. La verdadera caridad no piensa sino en la posibilidad de hacer el servicio, como la verdadera humildad no considera aquello por lo que somos superiores, sino por lo que somos inferiores. *"Estimando en más cada uno a los otros"* (Rom 12,10). Los religiosos imperfectos tienen caridad mezquina. Dan lo menos posible, piensan, discuten, regatean, miran el reloj... El gesto cristiano es amplio, bello, heroico, total. Se da sin medida y sin esperanza de retorno.

El éxito de los fracasos

Meditación sobre la resurrección del Señor

No todo es Viernes Santo. ¡Resucitó Cristo, mi esperanza! *"Yo soy la Resurrección"* (Jn 11,25). Está el Domingo, y esta idea nos debe de dominar. En medio de dolores y pruebas... optimismo, confianza y alegría. Siempre alegres: Porque Cristo resucitó venciendo la muerte y está sentado a la diestra del Padre. Y es Cristo, mi bien, el que resucitó. Él, mi Padre, mi Amigo, ya no muere. ¡Qué gloria! Así también yo resucitaré *"en Cristo Jesús"*... y tras estos días de nubarrones veré a Cristo.

Porque cada día que paso estoy más cerca de Cristo. Las canas... El cielo está muy cerca. Cuando este débil lazo se acabe de romper... *"deseo morir y estar con Cristo"* (Flp 1,23). Porque Cristo triunfó y la Iglesia triunfará. La piedra del sepulcro y los guardias creyeron haberlo pisoteado. Así sucederá también con nuestra obra cristiana. ¡Triunfará! No son los mayores apóstoles los de más fachada; ni los mejores éxitos los de más apariencia. En la acción cristiana hay ¡el éxito de los fracasos! ¡Los triunfos tardíos! En el mundo de lo invisible, lo que en apariencia no sirve, es lo que sirve más. Un fracaso completo aceptado de buen grado, más éxito sobrenatural que todos los triunfos.

Sembrar sin preocuparse de lo que saldrá. No cansarse de sembrar. Dar gracias a Dios de los frutos apostólicos de mis fracasos. Cuando Cristo habló al joven rico del Evangelio, fracasó, pero, cuántos han escuchado la lección; y ante la Eucaristía, huyeron, pero ¡cuántos han venido después! ¡Trabajarás!, tu celo parecerá muerto, pero ¡cuántos vivirán gracias a ti!

Nuestro Señor después de la Resurrección no se contentó con gozar su propia felicidad. Como la alegría del profesor es el conocimiento de sus alumnos... su esperanza no es completa hasta que todos aprenden; como el Capitán del buque no tiene su esperanza completa hasta que se salva el último... ¡Sería pésimo si se contentara con su propia salvación!

Todo el cielo es la gran esperanza vuelta hacia la tierra. San Ignacio tiene gran esperanza en nosotros y no la colmará sino cuando haya entrado el último jesuita. La esperanza es el lazo que une el cielo y la tierra. No nos imaginemos el cielo con sillones tranquilos. San Pedro está mirando el Vaticano todo el día. La tierra es el periódico del cielo. Por eso podemos gritar: *¡Eh, sálvanos, que perecemos! Acuérdate que es tu obra la que arde. ¡Eh, santos, miren su obra! ¡Recen por nosotros!* ¡La Iglesia lo hace en forma imperativa!

El cielo todavía no está acabado: falta parte de la Iglesia. Y cuando llega un pobre hombre cubierto del polvo de la tierra, ¡la alegría que habrá en el cielo! El Señor lo dice: *habrá más alegría en el cielo...* (Lc 15,7).

¡Todo el cielo interesándose por la tierra! Y por eso Nuestro Señor se aparece a su Madre... Se interesa por todo, hasta en la pesca de sus apóstoles; en lo que comen ellos: *¿Os queda algo de comer?* Comió y distribuyó los pedazos (cf. Jn 21,1-14). Para mostrarnos que más que su propia felicidad eterna, le interesa su obra en la tierra.

Tremenda responsabilidad

Todos los cristianos deben ser misioneros

Tenemos una responsabilidad: Misionar el mundo desde la colina de la ascensión. Tenemos la responsabilidad del mundo entero. Nuestro Señor no va a hacer nada sino por nosotros, no va hablar sino por nosotros. Tenemos la responsabilidad del crecimiento de la Iglesia. Geográficamente es demasiado pequeña... es como un niño que tiene todos sus órganos, pero tiene que crecer... La Iglesia debe crecer como el niño, por todo su cuerpo: pies, manos y cabeza; oye por los oídos, ve por los ojos... pero debe crecer por todo el cuerpo. La Iglesia todavía no ha alcanzado su tamaño normal. Luego, todos, todos sus miembros, deben contribuir al crecimiento: para que crezca por todos sus órganos. Si el crecimiento es por unos miembros y no por otros es anormal, una enfermedad y la muerte.

Por nuestro Bautismo somos miembros de la Iglesia; por nuestra oración estamos al servicio de la Iglesia. Tenemos que interesarnos por las misiones que tienen por objeto salvar las almas y hacer crecer a la Iglesia. ¿Está establecida hoy la Iglesia en todo el mundo? La gente dice que se interesa por las misiones y ¿qué dan? Su pensamiento, casi nunca; sus deseos, pocas veces... papeles viejos, los desechos de la casa. De los 300.000 sacerdotes [que hay en el mundo], 20.000 sacerdotes en las misiones, y de éstos, 13.000 cuidan de los católicos... Sólo un puñado de sacerdotes y de monjas para extender el Reino de Cristo.

Dicen: ¡¡La caridad comienza por la casa!! ¿Quién lo ha dicho? ¿Cristo, los Padres de la Iglesia? No. Es la teoría del egoísmo. ¿Egoísmo y caridad comienzan de la misma manera? No. La caridad comienza desde el primer momento con todos: ama, desde el principio, a todos. Comienza desde el primer momento a prestar servicio a los más próximos. La táctica del Espíritu Santo es como la de las arañas: comienza por las puntas más lejanas y termina por el centro. San Pablo tenía mucho que hacer en Jerusalén... pero se va hasta España, quería dar la vuelta al mundo entonces conocido.

Son pocos los que tienen esa responsabilidad tremenda. ¿Qué he hecho yo para hacer crecer a la Iglesia? ¿Disculpas? ¡No tenemos tiempo para ocuparnos de eso! Con nuestros deseos, oraciones, padecimientos, influencia, podemos mucho. Conservar en nuestra alma ese gran deseo y no quedarnos en el raquitismo espiritual.

La labor es interminable ¡¡400 millones de chinos... 375 millones de hindúes... tareas desmedidas!! Primero, no se trata de convertir a todos los chinos: sino de establecer la Iglesia. Con 25 millones de Chinos se funda la Iglesia china. Como en EE.UU., hay 27 entre 120 millones. Se acabaron las misiones, y ellos se hacen misioneros.

Hay momentos críticos en la Providencia divina: desarraigar un gran eucaliptus es casi imposible, pero hay un momento en que un niño, con una cuerda, puede determinar el lado de la caída. India, después de la guerra; China que están buscando su camino. En este momento el influjo de oraciones, deseos, influencias puede determinar el rumbo por siglos y siglos.

Pero, para las misiones no hay personal... –Asuma la responsabilidad y ¡vendrán vocaciones! ¡No le faltarán! Comience: mande 4 al África, ¡ya llegará personal! Lo primero es un acto de fe. En muchas de nuestras provincias hacemos bien en los colegios, pero cuando no tenemos más que colegios, la provincia se vuelve un poco burguesa... Pero cuando hay misiones, cambia.

¿Qué podemos hacer? ¡Conocer nuestras propias misiones! Cuando uno se aficiona a las misiones aprende mucho. Toda nuestra oración: *que venga a nosotros el Reino de Dios.* Nuestros sacrificios, nuestro apoyo y nuestra influencia.

Misión social del universitario

Conferencia en la Universidad Católica, 1945

Mis queridos universitarios: Al tratar estas materias se experimenta cierta aprehensión y desconfianza instintiva, y así tiembla uno, no ante el temor de las críticas de uno y otro lado, pues sabe que diga lo que diga no escapará de ellas, sino porque, teniendo la misión de enseñar, teme le falte el valor para decir la verdad toda entera, cosa a veces ¡tan difícil!, o bien, no sepa mantenerse en el justo equilibrio y punto medio donde se encuentra la virtud. Pero, a pesar de estos peligros, me he decidido a aceptar este tema por tres motivos:

1° Porque me parece sumamente adecuado para este retiro de preparación a la fiesta del Sagrado Corazón de Jesús, la fiesta del amor; y el deber social del universitario no es sino la traducción concreta a su vida de estudiante, hoy, y de futuro profesional, mañana, de las enseñanzas de Cristo sobre la dignidad de nuestras personas y sobre el mandamiento nuevo, su mandamiento característico, el del amor.

2° En segundo lugar, por la urgencia ardiente de los Papas a nosotros los sacerdotes a que expongamos claramente y sin vacilaciones este tema.

3° Y, finalmente, una tercera razón se desprende de vuestro carácter de universitarios: Callar sobre este tema ante otros auditorios sería grave, pero ante vosotros sería gravísimo y criminal, como que vosotros sois los constructores de esa sociedad nueva, vosotros seréis los guías intelectuales del País. Las profesiones, que forman la estructura de la vida nacional, serán lo que seáis vosotros, y vosotros obraréis en gran parte según la luz que tengáis de los problemas, y vuestra conducta social estará condicionada por vuestra formación social.

Y sin más preámbulos entro en materia. El primer problema es ciertamente el de la vida interior, de allí y sólo de allí ha de venir la solución, la fuerza, el dinamismo necesario para afrontar los grandes sacrificios: el mundo no será devuelto a Cristo por cruzados que sólo llevan la cruz impresa en su coraza. La exigencia de nuestra vida interior, lejos de excluir, urge una actitud social fundada precisamente en esos mismos principios que basan nuestra vida interior. No podríamos llegar a ser cristianos integrales si dándonos por contentos con una cierta fidelidad de prácticas, una cierta serenidad de alma, y un cierto orden puramente interior nos desinteresásemos del bien común; si profesando de la boca hacia fuera una religión que coloca en la cumbre de su moral las virtudes de justicia y caridad, no nos preguntáramos constantemente cuáles son las exigencias que ellas nos imponen en nuestra vida social, donde esas virtudes encuentran naturalmente su empleo.

El católico ha de ser como nadie amigo del orden; pero el orden no es la inmovilidad impuesta de fuera, sino el equilibrio interior que se realiza por el cumplimiento de la justicia y de la caridad. No basta que haya una aparente tranquilidad obtenida por la presión de fuerzas insuperables; es necesario que cada uno ocupe el sitio que le corresponde conforme a su naturaleza humana, que participe de los trabajos, pero también de las satisfacciones, como conviene a hermanos, hijos de un mismo Padre. El católico rechaza igualmente la inmovilidad en el desorden y el desorden en el movimiento, porque ambos rompen el equilibrio interior de la justicia y la caridad.

El fiel, si quiere serlo en el pleno sentido de la palabra, es un perpetuo inconformista, que alimenta su hambre y sed de justicia en la palabra de Cristo, y que busca el camino de saciar esas pasiones devoradoras en las enseñanzas de la Iglesia, que no es más que Cristo prolongado y viviendo entre nosotros.

La documentación Pontificia sobre la Acción Social es inmensa. A la luz de estas enseñanzas podemos, pues, marchar tranquilos. Su Santidad Pío XI decía con pena que los católicos del mundo entero bastante instruidos, en general, respecto de sus deberes individuales ignoran, en su gran mayoría, sus deberes sociales. Nosotros, al menos, no desoigamos la voz de nuestros Pontífices, tan claramente expuesta en materia social.

Motivos que urgen la acción social. Antes que nada, nos apremia a movilizar todas nuestras fuerzas en favor de la solución social el conjunto de intereses gravísimos que está en juego. Se trata nada menos que de la vida de tantos de nuestros hermanos. Recordemos la mortalidad infantil; los vagos que no tienen un techo que puedan llamar hogar, y andan errantes por los parques, se acurrucan en las puertas de las casas en el invierno y... ¡son hermanos nuestros!; la desnutrición que va afectando a nuestra raza; el alcoholismo que arruina tantos hogares, material y moralmente; las enfermedades sociales; la falta de instrucción; los hogares disueltos; el problema del alojamiento: ¡el frío! Rapidísimo vistazo a un mundo de problemas, cuya magnitud desconcierta y cuya importancia es trascendental para innumerables hermanos nuestros.

El orden social actual no responde al plan de la Providencia. La vida religiosa en cada uno de los medios sociales está dificultada actualmente por el problema del exceso o de la falta de medios de vida. Dios ha querido, al crearnos, que nos santificáramos. Éste ha sido el motivo que explica la creación: Tener santos en el mundo; tener hijos de Él en los cuales se manifestaran los esplendores de su gracia. Ahora bien, ¿cómo santificarse en el ambiente actual si no se realiza una profunda reforma social?

Aquí convendría insinuar la primera conclusión práctica para el universitario católico. Cada uno debe conocer el problema social general, las Doctrinas Sociales que se disputan el mundo, sobre todo su Doctrina, la doctrina de la Iglesia; debe conocer la realidad chilena y debe tener una preocupación especial por estudiar su carrera en función de los problemas sociales propios de su ambiente profesional. Círculos de estudios sociales especializados por carrera, para realizar el ideal de Pío XII, elemento substancial del orden nuevo: la elevación del proletariado. Este estudio de nuestra doctrina social ha de despertar en nosotros, antes que nada, un sentido social hondo, y antes que nada, inconformismo ante el mal, lo que Henri Simon ha denominado admirablemente *el sentido del escándalo*.

Cuenta un sacerdote belga: Cada vez que yo encontraba algún joven jesuita chileno, mi primera pregunta era: ¿Conoció al Padre Hurtado? Y casi siempre me respondían: 'A él debo mi vocación' (P. Schaack, s.j.).

El llamado de Cristo

Meditación de Semana Santa para jóvenes, 1946

Cristo vino a este mundo no para hacer una obra solo, sino con nosotros, con todos nosotros, para ser la cabeza de un gran cuerpo cuyas células vivas, libres, activas, somos nosotros. Todos estamos llamados a estar incorporados en Él, ese es el grado básico de la vida cristiana... Pero, para otros hay llamados más altos: a entregarse a Él; a ser sólo para Él; a hacerlo norma de su inteligencia, a considerarlo, en cada una de sus acciones, a seguirlo en sus empresas, más aún, ¡¡hacer de su vida la empresa de Cristo!! Para el marino, su vida es el mar; para el soldado, el ejército; para la enfermera, el hospital; para el agricultor, el campo; para el alma generosa, ¡¡su vida es la empresa de Cristo!!

Esto es lo esencial del llamamiento de Cristo: ¿Quisieras consagrarme tu vida? ¡No es problema de pecado! ¡Es problema de consagración! ¿A qué? A la santidad personal y al apostolado. Santidad personal que ha de ir calcada por la santidad de Cristo.

Si Él te llamara, ¿qué harías?... Quisiera que lo pensaras a fondo, porque esto es lo esencial de los retiros espirituales. Los retiros son un llamado a fondo a la generosidad. No se mueven por temor, ¡no se trata de asustar! Recuerdan los mandamientos, porque no pueden menos que recordarlos. Los mandamientos son la base, el cimiento para toda construcción, porque son la voluntad de Dios obligatoria... Pero no son más que los cimientos, y no se vive en los cimientos, no hay hermosura en los cimientos... Los retiros son para almas que quieran subir, y mientras más arriba mejor; son para quienes han entendido qué significa *Amar*, y que el cristianismo es amor, que el mandamiento grande por excelencia es el del amor.

La prueba de la fe es el amor, amor heroico, y el heroísmo no es obligatorio. El sacerdocio, las misiones, las obras de caridad no son materia de obligaciones, de pecado; son absolutamente necesarias para la Iglesia y son obra de la generosidad. El día que no haya sacerdotes no habrá sacramentos, y el sacerdocio no es obligatorio; el día que no haya misioneros, no avanzará la fe, y las misiones no son obligatorias; el día que no haya quienes cuiden a los leprosos y a los pobres no habrá el testimonio distintivo de Cristo, y esas obras no son obligatorias... El día que no haya santos, no habrá Iglesia y la santidad no es obligatoria. ¡Qué grande es esta idea! ¡La Iglesia no vive del cumplimiento del deber, sino de la generosidad de sus fieles!

Si Él te llamara, ¿qué le dirías? ¿En qué disposición estás? ¡¡Pide, ruega estar en la mejor!! San Ignacio pide al que entra en Ejercicios: ¡Grande ánimo y liberalidad para con Dios Nuestro Señor! ¡¡Querer afectarse y entregarse enteros!!

Señor, si en nuestro atribulado siglo XX, que viene saliendo de esta horrenda carnicería: campos de concentración, deportaciones, bombardeos, que trabajó afanosamente por matar con armas mil veces peores, que se despedazan por poseer más, por más negocios, más confort, más honras, menos dolor; si en este mundo del siglo XX, una generación comprendiese su misión y quisiera dar testimonio del Cristo en que cree, no sólo con gritos que nada significan de *¡Cristo vence, Cristo reina, Cristo impera!* ¿Dónde?, sino en la ofrenda humilde, silenciosa de sus vidas, para hacerlo reinar por los caminos en que Cristo quiere reinar: en su pobreza, mansedumbre, humillación, en sus dolores, en su oración, ¡¡en su caridad humilde y abnegada!!

¡Si Cristo encontrara esa generación! Si Cristo encontrara uno... ¿querrás ser tú?, el más humilde. El más inútil a los ojos del mundo, puede ser el más útil a los ojos de Dios... *Yo, Señor, nada valgo... pero confuso, con temor y temblor, yo te ofrezco mi propio corazón.*

El Señor entró a Jerusalén el día de su triunfo en un asno, y sigue fiel a esa su práctica: entra en las almas de los asnos de buena voluntad, pobres, mansos, humildes. ¿Quieres ser el asno de Cristo?

Cristo no me quiere engañar, me advierte... Es difícil, bien difícil. Hay que luchar contra las pasiones propias, que apetecen lo contrario de su programa. ¡No estarán muertas de una vez para siempre, sino que habrán de ir muriendo cada día!

Hay que luchar contra el ambiente: amigos, familia, mundo, atracciones... todo parecerá levantarse escandalizado ante quienes pretendan señalar el error. ¡Si me aman, querrán darme lo que ellos llaman bienes! y librarme de exageraciones ridículas, pasadas de moda, *"que hacen más mal que bien..."*. Dirán: *¿para qué esas exageraciones? ¿Por qué no hacer como todos?* Pero nosotros debemos luchar contra los escándalos... luchar contra los desalientos, el cansancio de la edad, la sequedad del espíritu, el tedio, la fatiga, la monotonía...

Sí, hay que luchar, pero allí estoy Yo, dice Jesús. *Tened confianza en Mí, Yo he vencido al mundo. Mi yugo es suave y mi carga ligera... Venid a Mí los que estáis trabajados y cargados y Yo os aliviaré... El que tenga sed, venga a Mí y beba. ¡¡Yo haré brotar en él una fuente que brota hasta la vida eterna!!* (Jn 16,33; Mt 11,30.29; Jn 7,37-38).

Necesito de ti... No te obligo, pero necesito de ti para realizar mis planes de amor. Si tú no vienes, una obra quedará sin hacerse que tú, sólo tú puedes realizar. Nadie puede tomar esa obra, porque cada uno tiene su parte de bien que realizar. Mira el mundo: los campos cómo amarillean, cuánta hambre, cuánta sed en el mundo. Mira cómo me buscan a mí, incluso cuando se me persigue...

Hay un hambre ardiente, atormentadora de justicia, de honradez, de respeto a la persona; una voluntad resuelta a hacer saltar el mundo con tal que terminen explotaciones vergonzosas; hay gentes, entre los que se llaman mis enemigos, que practican por odio lo que enseño por amor... Hay un hambre en muchos de Religión, de espíritu, de confianza, de sentido de la vida.

¿Difícil? ¡Sí! El mundo no lo comprenderá... Se burlará... Dirá: *¡exageraciones! ¡Que se ha vuelto loco!* De Jesús se dijo que estaba loco, se le vistió de loco, se le acusó de endemoniado... y finalmente se le crucificó. Y si Cristo viniera hoy a la tierra, horror me da pensarlo, no sería crucificado pero sería fusilado.

Si viniera a Chile... se levantaría una sedición en su contra ¿de quiénes? ¿Qué se diría contra Él en la prensa, en las cátedras?

¿Quiénes hablarían? Dios quiera que nosotros no formáramos parte del grupo de sus acusadores, ni de los que lo fusilaran. ¿Difícil? ¡Sí! Pero aquí, sólo aquí, reside la vida.

En la gran obra de Cristo todos tenemos un sitio; distinto para cada uno, pero un sitio en el plano de la santidad. En la cadena de la gracia que Dios destina a la bondad, ¡yo estoy llamado a ser un eslabón! Puedo serlo, puedo rechazar, ¿qué haré? La respuesta: Plantearme este problema a fondo ¡y responder con seriedad!

La respuesta de los jóvenes

Muchos jóvenes no tendrán el valor de planteárselo. Será superior a sus fuerzas pero, ¿si pensaran en las fuerzas de Cristo? Si pensaran que con Cristo, ellos también podrían ser santos. ¡Que no se refugien en la cobardía del puro deber!

Otros darán la limosna de algo. ¡¡Algo es!! Peor sería nada. ¡Pero no es eso lo que Cristo pide! No hay que ofrecer otra cosa, insistiendo que es buena, cuando Cristo pide otra mejor: La voluntad de Dios única y sola.

Los tesoros son los jóvenes generosos, los que se entregan y se involucran; y para estar seguros de hacer la voluntad del Señor, *"actuando contra su sensibilidad"* abrazan lo más difícil en espíritu, lo piden, lo suplican les sea concedido... y sólo dejarán ese tipo de entrega si el Señor les muestra su camino en un terreno más suave. Pero, en cuanto está de su parte, ¡a aquello van!

María, modelo de cooperación

Sobre el amor a la Virgen María

La devoción a Nuestra Señora es un elemento esencial en la vida cristiana. El alma cristiana está llena de esta devoción. En países de misión, el Islam que avanza, se ve detenido por María. Esas religiosas indígenas, todas con títulos de María; Capillas, Rosario, Escapulario, Templos, Peregrinaciones, Grutas.

1. En qué se funda la devoción a María

Es una lástima que prediquen sólo esta devoción poética: *Palma de Cades, Rosa de Jericó,* destacando únicamente su hermosura. El verdadero fundamento no lo descubre el hombre raciocinando sino orando bajo la inspiración del Espíritu Santo. En nuestra oración hallamos tan natural el privilegio de María antes de todo mérito suyo. Se ve en la celebración del 8 de diciembre. El pueblo que ora lo intuye. En Lovaina en el 50º aniversario de la Inmaculada Concepción, había iluminación hasta en las casas más modestas. Un niño es interrogado: *En la Fiesta de Nuestra Señora, ¿tú le tienes envidia? –Nadie tiene envidia de la Madre.*

2. La gracia de María es gracia funcional

Toda gracia es funcional: en provecho de todos los demás, justos y pecadores. No se trata de honores sino de funciones. La función de María es ser Madre de Dios, y su gracia es para nosotros lo que funda nuestra esperanza, ya que la preferida de Dios es mi Madre. La gracia funcional de María persiste: Cuando Dios ha elegido una persona para una función no cambia de parecer. San José, patrono de la Sagrada Familia: la Sagrada Familia creció y es la Iglesia, luego José, patrono de la Iglesia. María estaba al cuidado doméstico de la Sagrada Familia... Ésta crece, y está al cuidado doméstico de la Iglesia: *"Así como cuando vivía Jesús iba usted, oh Madre, con el cántaro sobre la cabeza a sacar agua de la fuente, venga ahora a tomar agua de la gracia y tráigala, por favor, para nosotros que tanto la necesitamos".*

3. María, modelo de cooperación

María, como Madre, no quiere condecoraciones ni honras, sino prestar servicios. Y Jesús no va a desoír sus súplicas, Él, que mandó obedecer padre y madre. Su primer inmenso servicio fue el *"Hágase en mí según tu palabra"*... y el *"He aquí la Esclava del Señor"* (Lc 1,38). Dios hizo depender su obra del *"Sí"* de María. Sin hacer bulla prestó y sigue prestando servicios: esto llena el alma de una santa alegría y hace que los hijos que adoran al Hijo, no puedan separarlo de la Madre.

Seamos cristianos, es decir, amemos a nuestros hermanos

Conferencia sobre la orientación del catolicismo

"Seamos cristianos, es decir, amemos a nuestros hermanos". En este pensamiento lapidario resume el gran Bossuet su concepción de la moral cristiana. Poco antes había dicho: *"Quien renuncia a la caridad fraterna, renuncia a la fe, abjura del cristianismo, se aparta de la escuela de Jesucristo, es decir, de su Iglesia"*.

Éste es el Mensaje de Cristo: *"Amarás a tu prójimo como a ti mismo"* (Lc 10,27). El Mensaje de Jesús fue comprendido en toda su fuerza por sus colaboradores más inmediatos, los apóstoles: *"El que no ama a su hermano no ha nacido de Dios"* (1Jn 2,1). *"Si pretendes amar a Dios y no amas a tu hermano mientes"* (1Jn 4,20). *"¿Cómo puede estar en él el amor de Dios, si, rico en los bienes de este mundo, viendo a su hermano en necesidad, le cierra el corazón?"* (1Jn 3,17). Con qué insistencia inculca Juan esta idea: es puro egoísmo pretender complacer a Dios mientras se despreocupa de su prójimo.

Después de recorrer tan rápidamente unos cuantos textos escogidos al azar, no podemos menos de concluir que no puede pretender llamarse cristiano quien cierra su corazón al prójimo. Se engaña, si pretende ser cristiano, quien acude con frecuencia al templo, pero no al conventillo para aliviar las miserias de los pobres. Se engaña quien piensa con frecuencia en el cielo, pero se olvida de las miserias de la tierra en que vive. No menos se engañan los jóvenes y adultos que se creen buenos porque no aceptan pensamientos groseros, pero que son incapaces de sacrificarse por sus prójimos. Un corazón cristiano ha de cerrarse a los malos pensamientos, pero también ha de abrirse a los pensamientos que son de caridad.

La primera encíclica dirigida al mundo cristiano por San Pedro encierra un elogio tal de la caridad que la coloca por encima de todas las virtudes, incluso de la oración: *"Sed perseverantes en la oración, pero por encima de todo practicad continuamente entre vosotros la caridad"* (1Pe 4,8-9).

Con mayor cuidado que la pupila de los ojos debe ser mirada la caridad. La menor tibieza, o desvío voluntario, hacia un hermano, deliberadamente admitida, será un estorbo más o menos grave a nuestra unión con Cristo. Al comulgar recibimos el Cuerpo físico de Cristo, Nuestro Señor, y no podemos, por tanto, en nuestra acción de gracias rechazar su Cuerpo Místico. Es imposible que Cristo baje a nosotros con su gracia y sea un principio de unión si guardamos resentimiento con alguno de sus miembros.

Este amor al prójimo es fuente para nosotros de los mayores méritos que podemos alcanzar, porque es el que ofrece los mayores obstáculos. Amar a Dios en sí mismo es más perfecto, pero más fácil; en cambio, amar al prójimo, duro de carácter, desagradable, terco, egoísta, pide al alma una gran generosidad para no desmayar.

Este amor, ya que todos formamos un sólo Cuerpo, ha de ser universal, sin excluir a nadie, pues Cristo murió por todos y todos están llamados a formar parte de su Reino. Por tanto, aun los pecadores deben ser objeto de nuestro amor, puesto que pueden volver a ser miembros del Cuerpo Místico de Cristo: que hacia ellos se extienda, por tanto, también nuestro cariño, nuestra delicadeza, nuestro deseo de hacerles el bien, y que al odiar el pecado no odiemos al pecador.

El amor al prójimo ha de ser ante todo sobrenatural, esto es, amarlo con la mira puesta en Dios, para alcanzarle o conservarle la gracia que lo lleva a la bienaventuranza. Amar es querer bien, como dice Santo Tomás, y todo bien está subordinado al bien supremo; por eso es tan noble la acción de consagrar una vida a conseguir a los demás los bienes sobrenaturales, que son los supremos valores de la vida. Pero hay también otras necesidades que ayudar: un pobre que necesita pan, un enfermo que requiere medicinas, un triste que pide consuelo, una injusticia que pide reparación... y sobre todo, los bienes positivos que deben ser impartidos, pues, aunque no haya ningún dolor que restañar hay siempre una capacidad de bien que recibir.

La ley de la caridad no es para nosotros ley muerta, tiene un modelo vivo que nos dio ejemplo de ella desde el primer acto de su existencia hasta su muerte y continúa dándonos pruebas de su amor en su vida gloriosa: ese es Jesucristo. San Pedro, que vivió con Jesús tres años, nos resume su vida diciendo que *pasó por el mundo haciendo el bien* (cf. Hech 10,38).

Junto a estos grandes signos de amor, nos muestra su caridad con los leprosos que sanó, con los muertos que resucitó, con los adoloridos a los cuales alivió. Consuela a Marta y María, en la pena de la muerte de su hermano, hasta bramar su dolor; se compadece del bochorno de dos jóvenes esposos y para disiparlo cambió el agua en vino; en fin, no hubo dolor que encontrara en su camino que no aliviara. Para nosotros el precepto de amar es recordar la palabra de Jesús: *"Amaos los unos a los otros como yo os he amado"* (Jn 13,34). ¡Cómo nos ha amado Jesús!

Los verdaderos cristianos, desde el principio, han comprendido maravillosamente el precepto del Señor. En la esperanza de estos prodigiosos cristianos es donde hay que buscar la fuerza para retemplar nuestro deber de amar, a pesar de los odios macizos como cordilleras que nos cercan hoy por todas partes.

Al mirar esta tierra, que es nuestra, que nos señaló el Redentor; al mirar los males del momento, el precepto de Cristo cobra una imperiosa necesidad: Amémonos mutuamente. La señal del cristiano no es la espada, símbolo de la fuerza; ni la balanza, símbolo de la justicia; sino la cruz, símbolo del amor. Ser cristiano significa amar a nuestros hermanos como Cristo los ha amado.

Nunca olvidaré una de sus clases. Teníamos 16 años y nos habló de Jesucristo de tal manera, que al terminar lloraba no sólo él, sino casi todos los treinta alumnos del Colegio San Ignacio que lo escuchábamos (P. José Vial).

"Ya no sois vuestros"

Meditación sobre la generosidad apostólica

I. El Apóstol ya no se pertenece

"Ya no sois vuestros" (cf. 1Cor 6,19–20). El apóstol ya no se pertenece más. Se vendió, se entregó a su Maestro. Para él vive, para él trabaja, por él sufre. El punto de vista del Maestro viene a ser el importante. Mis preocupaciones, mis intereses, dejan lugar a los intereses del Maestro.

¿Qué trabajo escoger? No el que el gusto, el capricho, la utilidad o la comodidad me indiquen, sino aquel en el que pueda servir mejor. El servicio más urgente, el más útil, el más considerable, el más universal. ¡El del Maestro!

¿Con qué actitud? Se trabaja tanto si gusta como si disgusta, a mí y a los otros. Es el servicio de Vuestra Majestad. Debe proseguirse, extenderse, abandonarse, pero no por ambición humana, necesidad de acción, o conquista de influencia, sino porque es la obra del Maestro. Hacer lo que Él haría.

A esta obra se subordina todo, incluso la salud, la alegría espiritual, el reposo y el triunfo. Según lo de San Pablo: *"Me encuentro apretado por ambos lados: tengo deseo de verme libre de las ataduras de este cuerpo y estar con Cristo, lo cual es sin comparación mejor; pero el quedarme en esta vida es necesario para vosotros. Convencido de esto, entiendo que permaneceré todavía y me quedaré con vosotros"* (Flp 1,23).

Es un trabajo amoroso, no de esclavo. No se queja, sino que se alegra de darse, como la madre por su hijo enfermo. Es un don total a la obra del Maestro que se abraza con cariño, de manera que llega a ser más sacrificio no sacrificarse: *Ama su dolor.*

II. La Paz apostólica

El mundo procura darnos la paz por la ausencia de todos los males sensibles y la reunión de todos los placeres. La paz que Jesús promete a sus discípulos es distinta. Se funda no en la ausencia de todo sufrimiento y de toda preocupación, sino en la ausencia de toda división interior profunda; se basa en la unidad de nuestra actitud hacia Dios, hacia nosotros, y hacia los demás.

Esta es la paz en el trabajo–sin–descanso: *Mi Padre trabaja sin descanso. Yo también trabajaré* (cf. Jn 5,17). El verdadero trabajo de Dios, que consiste en dar la vida y conservarla, atraer cada ser hacia su propio bien, no cesa, ni puede cesar. Así, los que de veras están asociados al trabajo divino no pueden descansar jamás, porque nada es servil en este trabajo. Un apóstol trabaja cuando duerme, cuando descansa, cuando se distrae... Todo eso es santo, es apostolado, es colaboración al plan divino.

La paz cristiana está fundada sobre esta unificación de todas nuestras potencias de trabajo y de resistencia, de todos nuestros deseos y ambiciones... El que en principio está así unificado y que poco a poco lleva a la práctica esta unificación, éste tiene la paz.

III. El celo de Pablo

El apóstol es un mártir o queda estéril. Procurar al predicar el celo, la abnegación, el heroísmo, que sean virtudes cristianas que nazcan del ejemplo y doctrina de Cristo. El celo de las almas es una pasión ardiente. Se basa en el amor; es su aspecto conquistador y agresivo, y cuando se toca al ser amado, se le toca a él. Así Pablo: *"Estoy crucificado con Cristo"* (Gál 2,19); se pone furioso cuando se toca la fe de sus Gálatas... porque él está identificado con Cristo: tocar esa fe, es tocarlo a él. *"No vivo yo, es Cristo quien vive en mí. O si yo vivo todavía en la carne, yo vivo en la fe al Hijo de Dios, que me ha amado y se ha entregado por mí"* (Gál 2,20). No se toca a Cristo, sino pasando por Pablo.

El Cuerpo Místico: distribución y uso de la riqueza

Conferencia pronunciada en Bolivia, en 1950

La espiritualidad cristiana en nuestro siglo se caracteriza por un deseo ardiente de volver a las fuentes, de ser cada día más genuinamente evangélica, más simple y más unificada en torno al severo mensaje de Jesús. La espiritualidad contemporánea se caracteriza también por la irradiación de sus principios sobrenaturales a todos los aspectos de la vida, de modo que la fe repercute y eleva no sólo las actividades llamadas religiosas, sino también las llamadas profanas. Por haber redescubierto, o al menos por haber acentuado, con fuerza extraordinaria , el mensaje gozoso de nuestra incorporación a Cristo con la consiguiente divinización de nuestra vida y de todas sus acciones, nada es profano sino profundamente religioso en la vida del cristiano.

Así, al buscar a Cristo es necesario buscarlo completo. Basta ser hombre para poder ser miembro del *Cuerpo Místico de Cristo,* esto es, para poder ser Cristo (cf. 1Co 12,12-27). El que acepta la encarnación la debe aceptar con todas sus consecuencias, y extender su don no sólo a Jesucristo sino también a su Cuerpo Místico. Y este es uno de los puntos más importantes de la vida espiritual: desamparar al menor de nuestros hermanos es desamparar a Cristo mismo; aliviar a cualquiera de ellos es aliviar a Cristo en persona. El núcleo fundamental de la revelación de Jesús, *"la buena nueva",* es pues nuestra unión, la de todos los hombres, con Cristo. Luego, no amar a los que pertenecen a Cristo, es no aceptar y no amar al propio Cristo.

¿Qué otra cosa sino esto significa la pregunta de Jesús a Pablo cuando se dirige a Damasco persiguiendo a los cristianos: *"Saulo, Saulo, ¿por qué me persigues...?"*. La voz no dice: *¿por qué persigues a mis discípulos?,* sino *"¿por qué 'me' persigues? Soy Jesús a quien tú persigues"* (Hech 9,4-5).

Cristo se ha hecho nuestro prójimo, o mejor, nuestro prójimo es Cristo que se presenta a nosotros bajo una u otra forma: preso en los encarcelados; herido en un hospital; mendigo en la calle; durmiendo, con la forma de un pobre, bajo los puentes. Por la fe debemos ver en los pobres a Cristo, y si no lo vemos es porque nuestra fe es tibia y nuestro amor imperfecto. Por esto nos dice San Juan: *"Si no amamos al prójimo a quien vemos, ¿cómo podremos amar a Dios a quien no vemos?"* (1Jn 4,20). Si no amamos a Dios en su forma visible, ¿cómo podremos amarlo en sí mismo?

La comunión de los santos, dogma básico de nuestra fe, es una de las primeras realidades que se desprende de la doctrina del Cuerpo Místico: todos los hombres somos solidarios. Todos recibimos la Redención de Cristo, sus frutos maravillosos, la participación de los méritos de María nuestra Madre y de todos los santos, palabra esta última que con toda la verdad puede aplicarse a todos los cristianos en gracia de Dios. La comunión de los santos nos hace comprender que hay entre nosotros, los que formamos la *"familia de Dios"*, vínculos mucho más íntimos que los de la camaradería, la amistad, los lazos de familia. La fe nos enseña que los hombres somos uno en Cristo, participantes de todos los bienes y sufriendo las consecuencias, al menos negativamente, de todos nuestros males.

Soluciones al problema de la injusta distribución de los bienes. El primer principio de solución reside en nuestra fe: Debemos creer en la dignidad del hombre y en su elevación al orden sobrenatural. Es un hecho triste, pero creo que tenemos que afirmarlo por más doloroso que sea: La fe en la dignidad de nuestros hermanos, que tenemos la mayor parte de los católicos, no pasa de ser una fría aceptación intelectual del principio, pero que no se traduce en nuestra conducta práctica frente a los que sufren y que mucho menos nos causa dolor en el alma ante la injusticia de que son víctimas. Sufrimos ante el dolor de los miembros de nuestra familia, ¿pero sufrimos acaso ante el dolor de los mineros tratados como bestia de carga, ante el sufrimiento de miles y miles de seres que, como animalitos, duermen botados en la calle, expuestos a las inclemencias del tiempo? ¿Sufrimos acaso ante esos miles de cesantes que se trasladan de punto a punto sin tener otra fortuna que un saquito al hombro donde llevan toda su riqueza? ¿Nos parte el alma, nos enferma la enfermedad de esos millones de desnutridos, de tuberculosos, focos permanentes de contagio porque no hay ni siquiera un hospital que los reciba?

¿No es, por el contrario, la cómoda palabra "exageración", "prudencia", "paciencia", "resignación", la primera que viene a sus labios? Mientras los católicos no hayamos tomado profundamente en serio el dogma del Cuerpo Místico de Cristo que nos hace ver al Salvador en cada uno de nuestros hermanos, aun en el más doliente, en el más embotado minero que masca coca, en el trabajador que yace ebrio, tendido física y moralmente por su ignorancia, mientras no veamos en ellos a Cristo, nuestro problema no tiene solución.

Es necesaria la cooperación inteligente de los técnicos que estudien el conjunto económico–social del momento que vive el país y propongan medidas eficaces. Ha llegado la hora en que nuestra acción económico–social debe cesar de contentarse con repetir consignas generales sacadas de las encíclicas de los Pontífices y proponer soluciones bien estudiadas de aplicación inmediata en el campo económico–social. Tengo la íntima convicción de que si los católicos proponen un plan bien estudiado que mire al bien común, encontrará el apoyo de buenas voluntades que existen en todos los campos y se convertirá este plan en realidad.

Pío XII dice que "las reglas, aun las mejores, que puedan establecerse, jamás serán perfectas y estarán condenadas al fracaso si los que gobiernan los destinos de los pueblos y los mismos pueblos no se impregnan con un espíritu de buena voluntad, de hambre y sed de justicia y de amor universal, que es el objetivo final del idealismo cristiano". Esta hambre y sed de justicia en ninguna otra realidad puede estimularse más que en la consideración del hecho básico de nuestra fe: por la Redención todos somos uno en Cristo; Él vive en nuestros hermanos. El amor que a Él le debemos, hagámoslo práctico en los que a Él representan. *"Lo que hicierais al menor de mis pequeñuelos, a mí me lo hacéis"* (Mt 25,40).

En una conversación me manifestó su preocupación de no haber vivido entre los pobres participando plenamente de su vida y de no morir entre los pobres, habiendo trabajado tanto por ellos (P. Raúl Montes, s.j.).

Reacción cristiana ante la angustia

Reflexión personal, noviembre de 1947

El alma que se ha purificado en el amor con frecuencia es atormentada por la angustia. No la angustia de su propia suerte: tiene demasiado amor, espera profundamente, como para detenerse en la consideración de sus propios males. Él se sabe pequeño y débil, pero buscado por Dios y amado de Él...

Es la miseria del mundo la que le angustia. La locura de los hombres, su ignorancia, sus ambiciones, sus cobardías, el egoísmo de los pueblos, el egoísmo de las clases, la obstinación de la burguesía que no comprende, su mediocridad moral, el llamado ardiente y puro de las masas, la vista tan corta, a veces el odio de sus jefes. El olvido de la justicia. La inmensidad de ranchos y pocilgas. Los salarios insuficientes o mal utilizados. El alcoholismo, la tuberculosis, la sífilis, la promiscuidad, el aire impuro. El espectáculo banal, el espectáculo carnal, tantos bares, tantos cafés dudosos, tanta necesidad de olvido, tanta evasión, tanto desperdicio de las formas de la vida. Tanta mediocridad en los ricos como en los pobres. Una humanidad loca, que se aturde con música barata y que luego se bate.

El alma se siente sobrecogida por una gran angustia. La miseria del mundo, que se ha ido a vivir en su alma, tortura el alma. El corazón va como a estallar. Ya no puede más. Las entrañas se aprietan, la angustia sube del corazón y estrecha la garganta.

¿Qué hacer, Señor? ¿Hay que declararse impotente, aceptar la derrota, gritar: sálvese quien pueda? ¿Hay que apartarse de este arroyo mal oliente? ¿Hay que escaparse de este delirio?

No. Todos estos hombres son mis hermanos queridos, todos sin excepción alguna. Esperan que se los ilumine. Necesitan la Buena Nueva. Están dispuestos a recibir la comunicación del Espíritu, con tal que se les comunique; con tal que haya alguien que por ellos haya pensado, haya llorado, haya amado; con tal que haya alguien que esté cerca de ellos muy cerca para comprenderlos y echarlos a caminar; con tal que haya alguien que, antes que nada, ame apasionadamente la verdad y la justicia, y que las viva intensamente.

Con tal que haya alguien que sea capaz de liberarlos, de ayudarlos a descubrir su propia riqueza, la que está oculta en su interior, en la luz verdadera, en la alegría fraternal, en el deseo profundo de Dios.

Con tal que quien quiera ayudarlos haya reflexionado bastante para captar todo el universo en su mirada, el universo que busca a Dios, el universo que lleva el hombre para hacerlo llegar a Dios, mediante la ayuda mutua de los hermanos, hechos para amarse, para cooperar en el reparto equitativo de las cargas y de los frutos; mediante el análisis de la realidad sobre la cual hay que operar, por la previsión de los éxitos y de las derrotas, por la intervención inteligente, por la sabiduría política al fin reconquistada, por la adhesión a toda verdad; por la adhesión a Cristo en la fe. Por la esperanza. Por el don pleno de mí mismo a Dios y a la humanidad, y de todos aquellos a los cuales voy a llevar el mensaje y a encender la llama de la verdad y del amor.

La Madre de todos

Prédica pronunciada en el Mes de María, 1950

Pasa algo verdaderamente alentador en el mundo y sobre todo en Chile: como una segunda primavera además de la material de la naturaleza, una primavera espiritual, durante el Mes de María. Todo cambia de aspecto, las Iglesias se repletan, en este mes, de gente que llega de no se sabe dónde, hombres de trabajo, soldados, mujeres de esfuerzo, no sólo la gente desocupada. Y esto cuatro o cinco veces al día, en todos los templos.

¿Por qué la Santísima Virgen tiene esta influencia en nuestras almas?, ¿qué atracción ejerce en nosotros? Primero, una influencia intuitiva, sentimental, emotiva, porque, como se ha dicho, si ella no hubiera sido creada por Dios, el hombre habría tenido que inventarla: es una necesidad psicológica del corazón humano. En el fondo, María representa la aspiración de todo lo más grande que tiene nuestra alma. La madre es la necesidad más primordial y más absoluta del alma, y cuando la hemos perdido, o sabemos que la vamos a perder, necesitamos algo del Cielo que nos envuelva con su ternura.

Ella no es divina, es enteramente de nuestra tierra, como nosotros, plenamente humana: hacía los oficios de cualquiera madre, pero sintiéndola tan totalmente nuestra, la reconocemos como trono de la divinidad.

¡Qué difícil es repasar tan rápido los privilegios dogmáticos de María!, pero el alma intuye que, como el corazón del joven de 20 años necesita una niña que complete su vida, la humanidad necesita esta Madre tierna, Virgen pura; este ser humano lleno de divinidad, que ha recibido de Dios, en María. Aun los que no saben teología quedan absortos cuando ven lo que es.

En nuestra época de problemas tremendos, tenemos que volver a cristianizar el mundo: hay millones de hombres bajo el dominio del ateísmo, a punto de entrar en guerra atómica. En este momento difícil me parece que María viene de nuevo a multiplicar sus llamados. Ella se aparece en Lourdes a Bernardita: *Yo soy la Inmaculada Concepción,* y hace brotar una fuente donde centenares de enfermos han recuperado la salud, y que ha sido reproducida en todas las ciudades, hasta en las poblaciones marginales. En México se ha dicho: no hizo nada parecido en ninguna otra parte del mundo. Ahí Nuestra Señora de Guadalupe se apareció al indio Juan Diego, y cuando él le contestó *"Niña mía, si no me van a creer"*, en el poncho del indio le dejó caer, en pleno invierno, una lluvia de rosas rojas para que se las llevara al arzobispo. Ella apareció con aspectos de indiecita, porque venía en defensa de los indios.

He pensado tantas veces cuando veo el Mes de María lleno de gente, y el día de la Procesión del Carmen, esa gente hambrienta de verdad, ¿cuál es nuestro deber ante ella? Primero, dar ejemplo de integridad de vida cristiana, no acomodarnos al mundo sino que éste se acomode a María. En las conversaciones, caridad: que nuestras palabras sean bondadosas, tiernas y cariñosas. Al mundo le gusta la francachela, nada más que diversión; nosotros no seremos obstáculo, pero pondremos la nota de austeridad y trabajo. No podemos tener devoción a ella y faltar a la caridad, no haciendo nada por solucionar la miseria humana.

Estos días me ha tocado vivir ahogado en la miseria, asediado por el miserable que no tiene nada, absolutamente nada. ¿Adónde va hoy un hombre que tenga hambre y no tenga que comer? Ayer una mujer joven, decentemente vestida, me decía: *"Padre, no he desayunado esta mañana, me han pedido la pieza, tengo cinco hijos, ¿dónde me voy?... "*. Un pobre, preso por vago, la sociedad no le da techo ni trabajo y lo encierra por andar vagando. Estamos empapados en una miseria que ha llegado al último extremo. Sé de gente que pasa tres y cuatro días sin comer.

Nuestra devoción a la Virgen, ¿no debería llevarnos a preguntar cómo podemos solucionar este problema? Nuestra devoción vacía y piedad estéril; en vano vuestra Madre se aparece a los pobres si vosotros no dais caridad. La primera manifestación de amor que sea caridad en palabra, juicios, desprendimiento, en obras de justicia.

El mundo tiene sus ojos puestos en nosotros. Acordémonos que somos cristianos y que el mundo nos mira. Temo que nuestra piedad sea en gran parte sólo sentimental, hojarasca, y no la misericordia de Cristo. Caridad en honor de la Virgen Santísima. Vosotros, ¿vais al tope de vuestra caridad? Tan *"bueyes"* que somos los católicos, tan dormidos, tan poco inquietos por la solidaridad social. Todas dificultades, tropiezos, escándalos... Ojalá que nuestra devoción a la Virgen nos traiga ternura de mirar al Cielo y trabajar en la tierra porque haya caridad y amor. Dios quiera llevarnos al Cielo por medio de Ella, la Mensajera del Padre, la Madre de todos, especialmente de los que sufren.

En una de las últimas misas, en el Hospital, un seminarista se acercó al lecho del Padre Hurtado, quien con su habitual entusiasmo, a pesar de sus sufrimientos, le dijo: '¡Qué bien, chiquillo, tú estás empezando, yo ya estoy terminando! Tú ahora estás lleno de entusiasmo, pero acuérdate: Cuando se te acabe el entusiasmo, agárrate a la fe' (Mons. Carlos González).

Una espiritualidad sana

Reflexión personal, noviembre de 1947

Los que se preocupan de la vida espiritual no son muchos; y, desgraciadamente, entre ésos no todos van por camino seguro. ¡Cuántos, durante decenas de años, hacen meditación y lectura sin sacar gran provecho! ¡Cuántos, más preocupados de seguir un método que al Espíritu Santo! ¡Cuántos quieren imitar literalmente las prácticas de tal o cual santo! ¡Cuántos aspiran a estados extraordinarios, a lo maravilloso, a las gracias sensibles! ¡Cuántos olvidan que forman parte de una humanidad adolorida y se fabrican una religión egoísta que no se acuerda de sus hermanos! ¡Cuántos leen y releen los manuales, o buscan recetas, sin conocer el Evangelio, sin acordarse de San Pablo!

Para otros, la vida espiritual se confunde con los ejercicios de piedad: lectura espiritual, oración, exámenes de conciencia. La vida activa viene a ser un *pegote* que se le agrega, pero no la prolongación, o preparación de su vida interior. Las preocupaciones de su vida ordinaria, su deber de estado, son echados fuera de la oración: les parece indigno mezclar Dios a esas banalidades.

Así llegan a forjarse una vida espiritual complicada y artificial. En lugar de buscar a Dios en las circunstancias en que nos ha puesto, en las necesidades profundas de mi persona, en las circunstancias de mi ambiente temporal y local, preferimos actuar como hombres abstractos. Dios y la vida real no aparecen jamás en el mismo campo de pensamiento y de amor. Pelean para mantener en sí un sentimentalismo afectivo de orientación divina, para mantener, con esfuerzo, la mirada fija en Dios, para sublimarse intensamente; o bien se contentan con las fórmulas azucaradas de libros llamados de piedad. Esto hace pensar en la afirmación de Pascal: el hombre no es ni ángel ni bestia, pero el que quiere ser como ángel, obra como bestia.

Una cosa más grave: Sacerdotes, hombres de estudio, que trabajan materias sobrenaturales, predicadores que preparan su predicación de mañana... no tendrán siquiera la idea de introducir estas materias en su vida de oración.

Seglares que dirigen obras de acción se prohibirán pensar en estas materias durante su oración. Hombres que pasan su día sobre las miserias del prójimo, para socorrerla, apartarán el recuerdo de los pobres, mientras asisten a la misa. Apóstoles abrumados de responsabilidades con miras al Reino de Dios, considerarán casi una falta el verse acompañados por sus preocupaciones y sus inquietudes.

Como si toda nuestra vida no debiera ir orientada hacia Dios, como si pensar en todas las cosas *por Dios*, no fuera ya pensar *en Dios;* o como si pudiéramos liberarnos a nuestro arbitrio de las preocupaciones que Dios mismo nos ha puesto. Es tan fácil, en cambio, tan indispensable, elevarse a Dios, perderse en Él, partiendo de nuestra miseria, de nuestros fracasos, de nuestros grandes deseos. ¿Por qué, pues, echarlos de nosotros, en lugar de servirnos de ellos como de un trampolín? Con sencillez, pues, arrojar el puente de la fe, de la esperanza, del amor, entre nuestra alma y Dios.

Una espiritualidad sana da a los métodos espirituales su importancia relativa, pero no la exagerada que algunos le atribuyen. Una espiritualidad sana es la que se acomoda a las individualidades y respeta las personalidades. Se adapta a los temperamentos, a las educaciones, culturas, experiencias, medios, estados, circunstancias, generosidades... Toma a cada uno como él es, en plena vida humana, en plena tentación, en pleno trabajo, en pleno deber. *El Espíritu que sopla siempre, sin que se sepa de dónde viene y a donde va* (cf. Jn 3,8), se sirve de cada uno para sus fines divinos, pero respetando el desarrollo personal en la construcción de la gran obra colectiva que es la Iglesia. Todos sirven en esta marcha de la humanidad hacia Dios; todos encuentran trabajo en la construcción de la Iglesia; el trabajo de cada uno, el querido por Dios, será el que a cada uno se revelará por las circunstancias en que Dios lo colocará, y por la luz que a él dará en cada momento. La única espiritualidad que nos conviene es la que nos introduce en el plan divino, según mis dimensiones, para realizar ese plan en obediencia total.

Todo método demasiado rígido, toda dirección demasiado definitiva, toda sustitución de la letra al espíritu, todo olvido de nuestras realidades individuales, no consiguen sino disminuir el ímpetu de nuestra marcha hacia Dios.

Serán, pues, métodos falsos todos lo que sean impuestos con uniformidad; todos los que pretendan dirigirnos hacia Dios haciéndonos olvidar a nuestros hermanos; todos los que nos hagan cerrar los ojos sobre el universo, en lugar de enseñarnos a abrirlos para elevar todo al Creador de todo ser; todos los que nos hagan egoístas y nos replieguen sobre nosotros mismos; todos los que pretendan encuadrar nuestra vida desde afuera, sin penetrarla interiormente para transformarla; todos los que den al hombre la ventaja sobre Dios.

Al comparar el Evangelio con la vida de la mayor parte de nosotros, los cristianos, se siente un malestar... La mayor parte de nosotros ha olvidado que *somos la sal de la tierra, la luz sobre el candil, la levadura de la masa...* (cf. Mt 5,13-15). El soplo del Espíritu no anima a muchos cristianos; un espíritu de mediocridad nos consume. Hay entre nosotros activos, y más que activos, agitados, pero las causas que nos consumen no son la causa del cristianismo.

Después de mirar y volver a mirarse a sí mismo y lo que uno encuentra en torno a sí, tomo el Evangelio, voy a San Pablo, y allí encuentro un cristianismo todo fuego, todo vida, conquistador; un cristianismo verdadero que toma a todo el hombre, rectifica toda la vida, agota toda actividad. Es como un río de lava ardiendo, incandescente, que sale del fondo mismo de la religión.

¡La entrega al Creador! En todo camino espiritual recto, está siempre al principio el don de sí mismo. Si multiplicamos las lecturas, las oraciones, los exámenes de conciencia, pero sin llegar al don de sí mismo, es señal que nos hemos perdido... Antes que toda práctica, que todo método, que todo ejercicio, se impone un ofrecimiento generoso y universal de todo nuestro ser, de nuestro *haber y poseer...* En este ofrecimiento pleno de sí mismo, acto del espíritu y de la voluntad, que nos lleva en la fe y en el amor al contacto con Dios, reside el secreto de todo progreso.

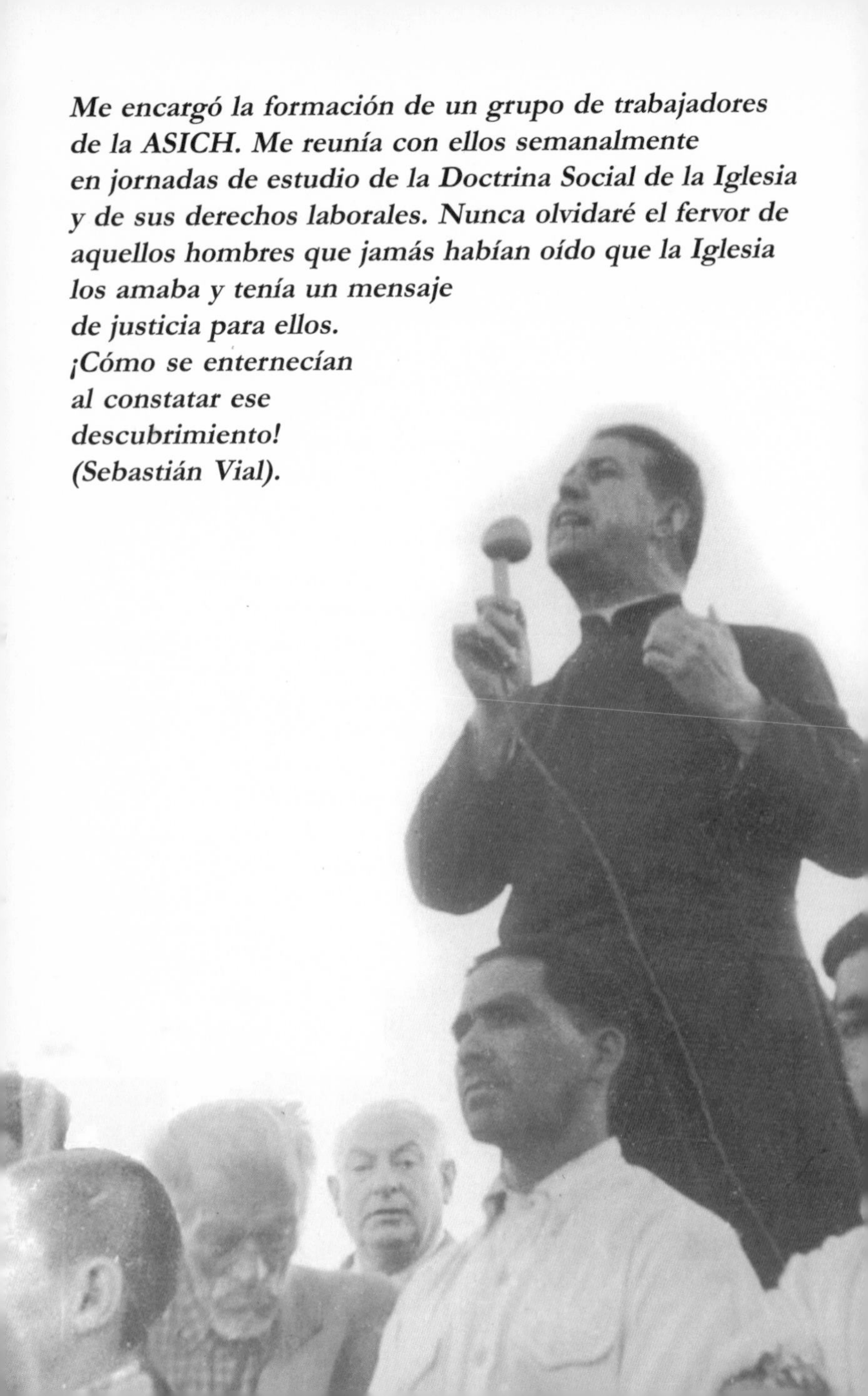

Me encargó la formación de un grupo de trabajadores de la ASICH. Me reunía con ellos semanalmente en jornadas de estudio de la Doctrina Social de la Iglesia y de sus derechos laborales. Nunca olvidaré el fervor de aquellos hombres que jamás habían oído que la Iglesia los amaba y tenía un mensaje de justicia para ellos. ¡Cómo se enternecían al constatar ese descubrimiento! (Sebastián Vial).

Fundamento del amor al prójimo

Discurso a 10.000 jóvenes de la A.C., 1943

Quisiera aprovechar estos breves momentos, mis queridos jóvenes, para señalarles el fundamento más íntimo de nuestra responsabilidad, que es nuestro carácter de católicos. Jóvenes: tienen que preocuparse de sus hermanos, de su Patria (que es el grupo de hermanos unidos por los vínculos de sangre, lengua, tierra), porque ser católicos equivale a ser sociales. No por miedo a algo que perder, no por temor de persecuciones, no por *anti*–algunos, sino que porque ustedes son católicos deben ser sociales, esto es, sentir en ustedes el dolor humano y procurar solucionarlo.

Un cristiano sin preocupación intensa de amar, es como un agricultor despreocupado de la tierra, un marinero desinteresado del mar, un músico que no se cuida de la armonía. ¡Si el cristianismo es la religión del amor!, como decía un poeta. Y ya lo había dicho Cristo Nuestro Señor: *El primer mandamiento de la ley es amarás al Señor tu Dios, con todo tu corazón, con toda tu mente, con todas tus fuerzas;* y añade inmediatamente: *y el segundo, semejante al primero, es amarás a tu prójimo como a ti mismo por amor a Dios* (cf. Mt 22,37-39).

Momentos antes de partir, la última lección que nos explicó, fue la repetición de la primera que nos dio sin palabras: *"Un mandamiento nuevo os doy, que os améis los unos a los otros, como yo os he amado"* (Jn 13,34). San Juan, en su epístola, nos resume los dos mandamientos en uno: *"El mandamiento de Dios es que creamos en el nombre de su Hijo Jesucristo y que nos amemos mutuamente"* (1Jn 3,23). Y San Pablo no teme tampoco hacer igual resumen: *"No tengáis otra deuda con nadie que la del amor que os debéis unos a otros, puesto que quien ama al prójimo tiene cumplida la ley. En efecto, estos mandamientos: No cometerás adulterio, no matarás, no robarás, no levantarás falso testimonio, no codiciarás: y cualquier otro que haya están recopilados en esta expresión: Amarás a tu prójimo como a ti mismo"* (Rm 13,8-9).

En este amor a nuestros hermanos, que nos exige el Maestro, nos precedió Él mismo. Por amor nos creó; caídos en culpa, por amor, el Hijo de Dios se hizo hombre, para hacernos a nosotros hijos de Dios (lo que a muchos, aun ahora, les parece una inmensa locura). El Verbo, al encarnarse, se unió místicamente a toda la naturaleza humana.

Es necesario, pues, aceptar la Encarnación con todas sus consecuencias, extendiendo el don de nuestro amor no sólo a Jesucristo, sino también a todo su Cuerpo Místico. Y este es un punto básico del cristianismo: desamparar al menor de nuestros hermanos es desamparar a Cristo mismo; aliviar a cualquiera de ellos es aliviar a Cristo en persona. Cuando hieren uno de mis miembros a mí me hieren; del mismo modo, tocar a uno de los hombres es tocar al mismo Cristo. Por esto nos dijo Cristo que todo el bien o todo el mal que hiciéramos al menor de los hombres a Él lo hacíamos.

Cristo se ha hecho nuestro prójimo, o mejor, nuestro prójimo es Cristo que se presenta bajo tal o cual forma: paciente en los enfermos, necesitado en los menesterosos, prisionero en los encarcelados, triste en los que lloran. Si no lo vemos es porque nuestra fe es tibia. Pero separar el prójimo de Cristo es separar la luz de la luz. El que ama a Cristo está obligado a amar al prójimo con todo su corazón, con toda su mente, con todas sus fuerzas. En Cristo todos somos uno. En Él no debe haber ni pobres ni ricos, ni judíos ni gentiles, afirmación categórica inmensamente superior al *"Proletarios del mundo, unios"*, o al grito de la Revolución Francesa: *Libertad, Igualdad, Fraternidad.* Nuestro grito es: *Proletarios y no proletarios, hombres todos de la tierra, ingleses y alemanes, italianos, norteamericanos, judíos, japoneses, chilenos y peruanos, reconozcamos que somos uno en Cristo y que nos debemos no el odio, sino que el amor que el propio cuerpo tiene a sí mismo.* ¡Que se acaben en la familia cristiana los odios, prejuicios y luchas!, y que suceda un inmenso amor fundado en la gran virtud de la justicia: de la justicia primero, de la justicia enseguida, luego aún de la justicia, y sean superadas las asperezas del derecho por una inmensa efusión de caridad.

Pero esta comprensión, ¿se habrá borrado del alma de los cristianos? ¿Por qué se nos echa en cara que no practicamos la doctrina del Maestro, que tenemos magníficas encíclicas pero no las realizamos? Sin poder sino rozar este tema, me atrevería a decir lo siguiente: porque el cristianismo de muchos de nosotros es superficial. Estamos en el siglo de los *récords*, no de sabiduría, ni de bondad, sino de ligereza y superficialidad. Esta superficialidad ataca la formación cristiana seria y profunda sin la cual no hay abnegación. ¿Cómo va a sacrificarse alguien si no ve el motivo de su sacrificio? Si queremos, pues, un cristianismo de caridad, el único cristianismo auténtico, más formación, más formación seria se impone.

Los cristianos de este siglo no son menos buenos que los de otros siglos, y en algunos aspectos superiores, tanto más cuanto que las persecuciones mundanas van separando el trigo de la cizaña aun antes del Juicio; pero el mal endémico, no de ellos solos, sino de ellos menos que de otros, es el de la superficialidad, el de una horrible superficialidad. Sin formación sobrenatural, ¿por qué voy a negarme el bien de que disfruto a mis anchas, cuando la vida es corta? En cambio, cuando hay fe, el gesto cristiano es el gesto amplio que comienza por mirar la justicia, toda la justicia, y todavía la supera una inmensa caridad.

Y luego, jóvenes católicos, no puedo silenciarlo: en este momento falta formación, porque faltan sacerdotes. La crisis más honda, la más trágica en sus consecuencias, es la falta de sacerdotes que partan el pan de la verdad a los pequeños, que alienten a los tristes, que den un sentido de esperanza, de fuerza, de alegría, a esta vida. Ustedes, 10.000 jóvenes que aquí están, a quienes he visto con tan indecibles trabajos preparar esta reunión, ustedes jóvenes y familias católicas que me escuchan, sientan en sus corazones la responsabilidad de las almas, la responsabilidad del porvenir de nuestra Patria.

Si no hay sacerdotes, no hay sacramentos; si no hay sacramentos, no hay gracia; si no hay gracia, no hay Cielo; y, aun en esta vida, el odio será la amargura de un amor que no pudo orientarse, porque faltó el ministro del amor que es el sacerdote. Que nuestros jóvenes, conscientes de su fe, que es generosidad, conscientes de su amor a Cristo y a sus hermanos, no titubeen en decir que sí al Señor.

Y como cada momento tiene su característica ideológica, es sumamente consolador recordar lo específico de nuestro tiempo: el despertar más vivo de nuestra conciencia social, las aplicaciones de nuestra fe a los problemas del momento, ahora más angustiosos que nunca. Dios y Patria; Cruz y bandera, jamás habían estado tan presentes como ahora en el espíritu de nuestros jóvenes. La caridad de Cristo nos urge a trabajar con toda el alma, para que cada día Chile sea más profundamente de Cristo, porque Cristo lo quiere y Chile lo necesita. Y nosotros, cristianos, otros Cristos, demos nuestro trabajo abnegado. Que desde Arica a Magallanes la juventud católica, estimulada por la responsabilidad de las luces recibidas, sea testigo viviente de Cristo. Y Chile, al ver el ardor de esa caridad, reconocerá la fe católica, la Madre que con tantos dolores lo engendró y lo hizo grande, y dirá al Maestro: *¡Oh Cristo, tú eres el Hijo de Dios vivo, tú eres la resurrección y la Vida!*

Último mensaje

Carta dictada cuatro días antes de morir, 1952

Al dar mi último saludo de Navidad, quisiera darles las gracias a todos los amigos conocidos y desconocidos que, de muy lejos a veces, han ayudado a esta obra de simple caridad de Evangelio, que es el Hogar de Cristo.

Al partir, volviendo a mi Padre Dios, me permito confiarles un último anhelo: el que se trabaje por crear *un clima de verdadero amor y respeto al pobre*, porque el pobre es Cristo. *"Lo que hiciereis al más pequeñito, a mí me lo hacéis"* (Mt 25,40).

El Hogar de Cristo, fiel a su ideal de buscar a los más pobres y abandonados para llenarlos de amor fraterno, ha continuado con sus Hospederías de hombres y mujeres, para que aquellos que no tienen donde acudir, encuentren una mano amiga que los reciba.

Los niños vagos, recogidos uno a uno en las frías noches de invierno, han llenado la capacidad del Hogar. 5.000 vagan por Santiago... ¡Si pudiéramos recogerlos a todos... y darles educación...! Para ello, un nuevo pabellón se está construyendo con capacidad para 150 niños, el cual les ofrecerá las comodidades necesarias para una labor educacional seria.

Los Talleres de carpintería, gasfitería, hojalatería, enseñan un oficio a estos hijos del Hogar de Cristo. Nuevos talleres, Dios mediante, de mecánica, imprenta, encuadernación, ampararán la labor de los actuales.

Las niñas vagas, ayer inexistentes, son hoy una triste realidad. 400 hay fichadas por Carabineros. ¡Cuántas más existen que, envueltas en miseria y dolor, van cayendo física y moralmente! Un hogar se abrirá en breve para ellas.

La Casa de Educación Familiar, del Hogar de Cristo, la cual está ya terminada, las capacitará para sus deberes de madre y esposa con sus cursos de cocina, lavado, costura, puericultura, etc., prestando esta misma Casa un servicio a todo el barrio.

Los ancianos tendrán también su Hogar, es decir, el afecto y cariño que no les puede brindar un asilo. Para ellos quisiéramos que la tarde de sus vidas sea menos dura y triste. ¿No habrá corazones generosos que nos ayuden a realizar este anhelo?

A medida que aparezcan las necesidades y dolores de los pobres, que el Hogar de Cristo, que es el conjunto anónimo de chilenos de corazón generoso, busquen cómo ayudarlos como se ayudaría al Maestro.

Al desearles a todos y a cada uno en particular una feliz Navidad, *os confío, en nombre de Dios, a los pobrecitos.*

Alberto Hurtado Cruchaga, S.J., Capellán.

Lo visité el día antes de su muerte, como a las 5 de la tarde. Me asomé a verlo, y estaba con unos tubos, muy desfigurado. Al verme hizo señas para que entrara... y me pidió que nunca dejara de lado a los pobres (Alfredo Matte).

Proveniencia de los textos publicados

Los textos completos de los escritos que contiene este libro se encuentran en los siguientes volúmenes publicados por EDICIONES UNIVERSIDAD CATÓLICA DE CHILE:

DE: *Un disparo a la eternidad. Retiros espirituales predicados por el Padre Alberto Hurtado, S.J.* Introducción, selección y notas de Samuel Fernández E., Santiago 2002.

CI: *Cartas e Informes del Padre Alberto Hurtado, S.J.* Introducción, selección y notas de Jaime Castellón C., Santiago 2003.

BD: *La búsqueda de Dios. Conferencias, artículos y discursos pastorales del Padre Alberto Hurtado, S.J.* Introducción, selección y notas de Samuel Fernández E., Santiago 2004.

¿A quiénes amar? (BD, p. 59); El Rumbo de la vida (DE, p. 42); La búsqueda de Dios (BD, p. 121); Jesús recibe a los pecadores (DE, p. 216); La Sangre del Amor (Congreso SS.CC., 22 Nov. 1944); La oración del apóstol (DE, p. 247); Visión de eternidad (DE, p. 35); ¿Cómo llenar mi vida? (BD, p. 84); Siempre en contacto con Dios (BD, p. 19); Un testimonio (BD, p. 23); Ustedes son la luz del mundo (BD, p. 173); ¡Mi vida es una Misa prolongada! (DE, pp. 293, 296); La muerte (DE, p. 208); Una competencia en darse (BD, p. 232); Abnegación y alegría (DE, p. 311); Un problema de todos (BD, p. 246); Pesimistas y optimistas (BD, p. 79); Vivir para siempre (DE p. 56); El que se da, crece (BD, p. 35); Trabajar al ritmo de Dios (BD, p. 41); La multiplicación de los panes (DE, p. 263); ¡Sacerdote del Señor! (CI, p. 42); El deber de la Caridad (BD, p. 142); Mi vida, un disparo a la eternidad (DE, p. 172); Adoración y servicio (CI, p. 213); El hombre de acción (BD, p. 47); Los riesgos de la fe (DE, p. 275); Te Deum (BD, p. 160); Compromiso y testimonio (CI, p. 155); En los días de abandono (BD, p. 71); Eucaristía y felicidad (BD, p. 213); Nuestra imitación de Cristo (DE, p. 79); La misión del apóstol (DE, p. 103); El amor a Jesucristo (El educador del Espíritu, s20y15); Con gran prisa... (DE, p. 239); El éxito de los fracasos (DE, p. 318); Tremenda responsabilidad (DE, p. 326); La misión social del universitario (BD, p. 97); El llamado de Cristo (DE, p. 64); María, modelo de cooperación (DE, p. 142); Seamos cristianos, amemos a nuestros hermanos (BD, p. 128); Ya no sois vuestros (DE, p. 271); El Cuerpo Místico: distribución y uso de la riqueza (BD, p. 150); Reacción cristiana ante la angustia (BD, p. 69); La Madre de todos (Mes de María de 1950); Una espiritualidad sana (BD, p. 28); Fundamento del amor al prójimo (Discurso en el Caupolicán 1943); Último mensaje (CI, p. 319).

Índice

HK 36